D0292066

Le Secret de la rose

Marc

FISHER

Le Secret de la rose

le dernier message du Millionnaire

UN MONDE DIFFÉRENT

Catalogage avant publication de Bibliothèque et Archives nationales du Québec et Bibliothèque et Archives Canada

Fisher, Marc, 1953-

Le secret de la rose : la vie, l'amour, le mal, la mort – : le dernier message du millionnaire

(Développement personnel)

ISBN 978-2-89225-661-1

1. Succès - Aspect psychologique. 2. Bonheur. 3. Vie - Philosophie. I. Titre. II. Collection: Développement personnel (Brossard, Québec).

BF637.S8F57 2008 158.1 C2008-940316-9

Adresse municipale :
Les éditions Un monde différent
3905, rue Isabelle, Brossard, bureau 101
(Québec) Canada J4Y 2R2
Tél. : 450 656-2660
Téléc. : 450 659-9328
Site Internet : www.unmondedifferent.com
Courriel : info@umd.ca

Adresse postale :
Les éditions Un monde différent
C. P. 51546,
Succ. Galeries Taschereau
Greenfield Park (Québec)
J4V 3N8

Dépôts légaux : 1er trimestre 2008
Bibliothèque nationale du Québec
Bibliothèque nationale du Canada
Bibliothèque nationale de France

Conception graphique et mise en pages : OLIVIER LASSER
Illustration de la rose : SÉBASTIEN GAGNON
Photo de l'auteur : FRANÇOIS CUSSON
Photos à l'intérieur du livre : ISTOCK PHOTO

Typographie : Cochin corps 12 sur 14,5

ISBN 978-2-89225-661-1

Nous reconnaissons l'aide financière du gouvernement du Canada par l'entremise du Programme d'aide au développement de l'industrie de l'édition pour nos activités d'édition (PADIÉ).

Gouvernement du Québec – Programme de crédit d'impôt pour l'édition de livres – Gestion SODEC.

Imprimé au Canada

« Il est certain qu'en dehors de Rome
on n'a aucune idée de la formation qu'on y reçoit.
Il faut pour ainsi dire renaître,
et l'on regarde ses anciennes idées
comme on regarde ses souliers d'enfant. »

– GOETHE, *Voyage en Italie*.

Du même auteur chez le même éditeur

L'Ouverture du cœur : Les principes spirituels de l'amour incluant : *Le nouvel amour courtois*, éditions Un monde différent, Brossard, Canada, 2000, 192 pages.

Le Bonheur et autres mystères... suivi de *La naissance du Millionnaire*, éditions Un monde différent, Brossard, Canada, 2000, 192 pages.

La vie est un rêve, éditions Un monde différent, Brossard, Canada, 2001, 208 pages.

L'Ascension de l'âme : Mon expérience de l'éveil spirituel, éditions Un monde différent, Brossard, Canada, 2001, 192 pages.

Le Testament du Millionnaire, sur l'art de réussir et d'être heureux, éditions Un monde différent, Brossard, Canada, 144 pages.

Les Principes spirituels de la richesse, suivi de *Le levier d'or*, éditions Un monde différent, Brossard, Canada, 2005, 192 pages.

Le Millionnaire paresseux, suivi de *L'art d'être toujours en vacances*, éditions Un monde différent, Brossard, Canada, 2006, 240 pages.

Le Philosophe amoureux : L'amour, le mariage (et le sexe...) au 21e siècle, éditions Un monde différent, Brossard, Canada, 2007, 192 pages.

Le plus vieux secret du monde : Petit compagnon du Secret, éditions Un monde différent, Brossard, Canada, 2007, 176 pages.

Table des matières

— 1 —

Où la malchance s'acharne contre moi

Vous vivez des années de bonheur sans nuages, où tout vous sourit et vous croyez qu'il en sera toujours ainsi. Vous ne vous imaginez même pas qu'il peut en être autrement, et puis, soudain, la délicate mécanique de votre chance se détraque: votre bonheur part en vacances !

En avril 200..., il me sembla que je connus semblable turbulence du destin. Des vents contraires se levaient, qui succédaient au doux zéphyr des années faciles de ma vie.

Ou peut-être était-ce un début de dépression, qu'aurait pu me signaler, entre autres choses, l'importance démesurée que prirent de petites contrariétés, des déceptions dont, en d'autres temps (meilleurs) je n'aurais pas fait aussi grand cas...

Un samedi soir, nous attendions une vingtaine d'invités pour une petite fête intime. Or, et même si quelques-uns avaient pris la peine de se décommander (à la dernière minute), la moitié de nos hôtes nous fit faux bond. Ce fait, mineur au fond, me toucha plus qu'il n'aurait dû. Ce n'est pas que je me sentais insulté par ce qui était quand même un manque élémentaire de savoir-vivre, mais c'est comme si je ressentais un abandon plus fondamental, comme si l'ordre naturel des choses était bouleversé…

Il faut dire que, la veille, mon éditeur m'avait annoncé que mon plus récent ouvrage avait été boudé par le public : grosse déception, car j'attendais beaucoup de ce livre. Il semblait que je devrais attendre encore !

Comme si un malheur ne venait jamais seul, cette nouvelle survenait à peine une heure après un courriel de mon agente londonienne qui m'informait, catastrophée, de l'annulation d'un contrat faramineux.

En d'autres occasions, je me serais probablement contenté de hausser les épaules, de rayer prestement de mon carnet d'adresses le nom de ces mauvais invités ou encore de leur trouver, dans ma complaisance usuelle, des circonstances atténuantes…

Mais là, non, j'ai pensé : ils savent…

Oui, ils savent la malchance qui a commencé à s'abattre sur moi, la mévente de mon livre, l'annulation du contrat et, par instinct, comme des animaux dans une meute, ils abandonnent le frère blessé, c'est le commencement de ma fin, la disgrâce.

Ce même soir, après le dîner qui prit fin prématurément, j'ai voulu tromper ma déception en écoutant la télé. Ça m'a pris cinq minutes pour trouver la manette de la télécommande. Comme neuf fois sur dix, elle était simplement sous un coussin du canapé, je me suis senti intelligent. Et puis, comme si le destin voulait me narguer encore plus, elle ne fonctionnait pas.

Essayez d'écouter la télé sans télécommande surtout lorsque vous êtes déjà au bord de la crise de nerfs ! Je sais. On le faisait sans sourciller AVANT son invention mais maintenant, il est trop tard, il nous la faut : finis les plaisirs simples du passé ! De toute manière, j'avais épuisé mes réserves de patience ! J'ai fait trois essais de réparation rapide, le miracle ne s'est pas produit et j'ai compris ! J'ai jeté violemment la télécommande contre le mur. Elle a volé en éclats. Bien fait pour toi, maintenant tu es vraiment cassée, que j'ai pensé, triomphant : dans mon état il n'y avait pas de petites victoires !

Fine mouche, D., ma compagne des neuf dernières années, m'a dit tu es déçu pour la soirée ? J'ai dit non je m'en moque comme de ma première chemise, mais ce n'était pas vrai évidemment. Je me sentais désemparé, et honteux aussi, d'avoir ainsi perdu l'empire sur moi, pour une stupide télécommande. Et dire que la télé ne me divertit pas vraiment, en tout cas rarement assez pour que je puisse l'écouter sans un livre à la main, à telle enseigne que je me demande parfois si j'écoute la télé en lisant ou si je lis en écoutant la télé !

D. est allée fermer stoïquement notre Panasonic HD à écran plasma grand format que j'ai payée trop cher, d'autant plus que je l'ai vue en solde ailleurs le mois suivant... L'ancienne faisait autant l'affaire que je me suis dit, après les trente-trois jours de grâce du consommateur moderne, et en plus il n'avait pas fallu payer pour une garantie prolongée: si c'est vraiment le nec plus ultra de la techno, votre appareil merveilleux, pourquoi a-t-on besoin de ça?

Je me suis excusé auprès de D., je me suis versé un verre de blanc. D. a dit tu en prends un autre? J'ai dit c'est le dernier. Elle n'a rien dit mais elle a plissé les lèvres, j'ai compris qu'elle pensait: tu crois que je fais de l'Alzheimer, ou quoi, ça fait cinq fois que tu me dis que tu le bois, ton dernier verre?

J'ai dit, je ne sais pas ce que j'ai, je pense que je dois juste être fatigué, et évidemment ça ne m'a pas aidé la mauvaise nouvelle de... Je me suis interrompu. Mais j'avais déjà trop parlé. « La mauvaise nouvelle de quoi? », a demandé D. Je ne lui avais pas dit pour le courriel de Cathy. Cathy, c'est mon agente, elle est super, mais les mauvaises nouvelles, elle ne peut pas les passer au déchiqueteur. J'ai réfléchi vingt-sept secondes à ce que j'allais dire, j'ai pensé que de tout savoir de mes choses littéraires (lisez: d'affaires!) allait peut-être inquiéter D., mais finalement j'ai pris le parti de la vérité, j'ai craché le morceau et j'ai ajouté: « Et puis il y a mon éditeur qui dit que j'écris trop, à l'évidence parce que mon plus récent livre n'a pas marché. » D. a dit, sans penser qu'elle pouvait me chagriner ou qu'elle tournait le fer dans la plaie, mais plutôt pour me défendre, bec et ongles, comme elle l'a toujours fait: « Mais il est gonflé, le mec, toi, écrire trop? Ça fait six mois que t'as pas pondu une seule ligne! » « C'est ça qui me fatigue, justement », que j'ai répliqué.

Le surlendemain de cette fête ratée, j'ai eu une déception bien plus grave que tout ce que j'avais connu les jours précédents, un vrai chagrin, parce que ça concernait la vraie vie. Henri-Paul, un de mes meilleurs amis, est mort brusquement : infarctus du myocarde. Il venait de monter dans sa voiture, après avoir finalement acheté une bague à sa fiancée qui la lui demandait depuis 7 ans et 7 jours, et il s'est effondré sur son volant, là, comme ça, à 47 ans, sans signes précurseurs, comme ils disent.

Bon, d'accord, les longues heures passées au bureau étaient parfois soutenues par la suave médication du meilleur Glenfiddich, et il avait un peu d'embonpoint, parce qu'il aimait aussi le stilton et le bon (vieux) porto, mais qui n'a pas quelques kilos de trop, surtout à l'approche de la cinquantaine ! Le bruit prolongé du klaxon a alerté un passant qui a brisé la vitre de sa voiture et a tout tenté pour le ranimer.

Peine perdue.

Peine immense pour moi.

Même si nous avions un travail complètement différent – il était avocat –, je l'avais toujours considéré comme le frère que je n'avais jamais eu. Il aimait les femmes, j'aimais la mienne, ça faisait une moyenne. Nous avions les mêmes goûts, les mêmes dégoûts, nous jouions au golf ensemble, nous passions des heures à discuter de littérature, dont il était féru. Il aurait voulu être romancier et j'aurais peut-être dû devenir avocat comme mon père le souhaitait. Je n'aurais pas eu les inquiétudes que j'ai parce que parfois je me dis que romancier ce n'est pas un métier. Pourquoi était-il parti avant moi, d'autant que c'est moi qui avais le cœur malade et pas lui, moi qui avais prétendument un travail éprouvant pour les nerfs ?

Après le service funèbre, à la sortie de l'église, juste avant que les gens se précipitent pour aller philosopher sur la brièveté de la vie, rêver de bontés testamentaires et manger des sandwichs aux œufs avec des olives farcies pour les grandes occasions, D. m'a regardé avec ses beaux yeux bleus, et, posant tendrement la main sur mon avant-bras, a suggéré :

« Pourquoi ne pars-tu pas ?

— Partir ?

— Oui, en voyage, ça t'aidera peut-être à retrouver ton inspiration. Et ça te fera du bien.

— Mais toi ?

— Ça nous fera du bien à nous deux aussi... », a-t-elle dit avec un sourire fin.

Il y a dans les longues unions, même les plus heureuses, d'inévitables passages à vide, et il faut parfois avoir le courage de faire le plein de solitude pour mieux retrouver l'autre et ses certitudes. Je le savais, ma femme le savait, mais il y a des sujets que la plupart des hommes préfèrent éviter, parce qu'ils concernent les « vraies choses », et comme ce n'est pas notre sport préféré...

Était-ce mon épuisement, le début de ce que je me refusais d'appeler ma dépression, ou le simple sentiment que ma compagne avait raison ? Toujours est-il que je me laissai aisément convaincre, pour une fois.

Restait à établir le lieu de cet aimable congédiement, que j'annonçai commodément à mes proches comme un voyage de recherches. Je ne mentais qu'à moitié – une autre spécialité des hommes, même les plus sincères ! –, car c'est à la recherche de moi que je partais ou si vous voulez de mon bonheur perdu.

J'ai toujours cru aux vertus de la bibliomancie, cet art ancien qui consiste à ouvrir au hasard un livre pour y lire ce que nous réserve l'avenir. Elle me servit merveilleusement, et en tout cas je n'en désapprouvai pas les conseils, car le premier livre que je pris à l'aveuglette sur un rayon de ma bibliothèque était *Voyage en Italie* de Goethe.

Le jour même, en une coïncidence vraiment extraordinaire, magique, merveilleuse, je recevais le courriel le plus inattendu, le plus mystérieux de ma vie !

— 2 —
Où je pars pour Rome

C'est un courriel du Millionnaire !

Oui, du Millionnaire en personne !

Enfin pas en personne, mais vous savez ce que je veux dire, non ?

Je suffoque d'émotion, j'ai même l'impression que je suis dans un rêve dont je vais me réveiller déçu.

Je n'avais jamais pensé que j'aurais un jour des nouvelles de ce mystérieux vieil homme qui avait servi de modèle à mon personnage du Millionnaire.

Il était entré dans ma vie par hasard et en était ressorti à peine quelques jours plus tard, sans me dire où il allait ni si je le reverrais jamais. Il avait seulement exigé de moi que je taise son nom véritable et même que je nie son existence. Je pourrais seulement transmettre, du mieux que je pourrais, les enseignements qu'il m'avait livrés avec simplicité et humour. Aux lecteurs qui me questionneraient à son sujet (et certains étaient prêts à me payer de fortes sommes pour le rencontrer !), je devrais déclarer qu'il n'était qu'un personnage fictif, issu de mon imagination : tel était notre pacte.

Comme bien des grandes âmes (et c'en est peut-être la marque la plus sûre), il préférait travailler dans l'ombre, et choisir sans contraintes qui il ferait profiter de ses innombrables largesses ! Rien ne le hérisserait plus, m'avait-il confié, que de perdre du temps à repousser constamment les raseurs et les opportunistes, faune inévitable autour des gens fortunés.

Mon premier mouvement de surprise (et de joie) passé, je me suis dit : *« Mais comment a-t-il pu mettre la main sur mon courriel ? »* Puis j'ai pensé : *« Que je suis bête, il est écrit en toutes lettres à la fin de tous mes livres et mes livres sont dans les librairies du monde entier... si on excepte celle de mon quartier ! »*

Son courriel était bref et disait simplement, dans un style télégraphique : « Cher monsieur Fisher, dois vous revoir. Mission de la plus haute importance à vous confier. Devez accepter en remerciements de votre succès. Soyez à Rome, *piazza Rotonda,* devant le Panthéon, le jeudi 23 avril, à midi. Votre ami, le Millionnaire. »

C'était tout !

Je le relus deux fois, trois fois, dix fois !

Je n'en revenais pas.

Quel hasard ! Le Millionnaire qui me donnait rendez-vous à Rome, où je me proposais justement d'aller !

Si j'avais conservé des hésitations au sujet de mon périple romain, maintenant elles disparaissaient tout à fait : j'avais maintenant deux bonnes, deux excellentes raisons de partir !

Mais je ne devais pas trop tarder, car le rendez-vous que me fixait le Millionnaire était… dans cinq jours !

Trois jours plus tard, je partais.

Dans l'avion, j'ai pensé que la vie était pleine de surprises, qu'on ne savait jamais vraiment ce qui nous attendait, en bon ou en mauvais. Comment aurais-je pu deviner, quelques jours plus tôt, que je partirais pour Rome où je n'avais pas mis les pieds depuis sept ou huit ans ? Et qu'en plus je m'y rendrais pour y retrouver le Millionnaire.

J'ai pensé aussi à Henri-Paul qui était mort et enterré, selon ses dernières volontés.

La dernière fois que j'avais pris l'avion, c'était avec lui, un mois plus tôt, pour un voyage de golf.

Maintenant, il ne joue plus au golf, à moins qu'il se passe au ciel des choses que je ne sais pas. Va savoir ! Et moi en tout cas je sais que je ne jouerai jamais plus avec lui. À la lecture de son testament, chez Me Bérichon, le notaire (un vrai nom de notaire, non ?), je me suis dit : *« J'espère qu'il ne voit pas tout ça, qu'il a autre chose à faire que de regarder dans le rétroviseur de sa vie passée ! »*

Oui, je me suis dit j'espère qu'ils nous tiennent occupés, là-haut, parce que comme ça Henri-Paul n'aura pas la curiosité de regarder dans l'officine où on fait la triste lecture de son testament. Remarquez, peut-être qu'il aurait aimé ça, au fond. Parce qu'il y avait là, non seulement les membres de sa famille, mais sept de ses anciennes maîtresses, par lui nommées dans son testament ! On se serait crus dans *Cher Antoine ou L'amour raté*, la pièce grinçante d'Anouilh ! Mais je vous avais prévenu que c'était un homme à femmes !

À l'une d'entre elles, Alexandra, il avait laissé un dollar, oui, un seul dollar, en précisant que c'était le dernier dollar qu'il lui était resté après qu'elle l'eut quitté. Évidemment, comme il était avocat, il s'était refait vite fait. Et il n'était pas rancunier, d'où sa générosité posthume ! Alexandra n'est restée que quatre secondes après la révélation ironique de sa part, et elle a renoncé à son héritage !

À une autre, Louise, il a laissé des billets d'avion pour Venise, avec pour toute explication, exquise : « Je m'excuse, belle marquise. »

Il y avait aussi les autres qui un temps, bref ou long, avaient régné, seules ou avec d'autres, dans sa vie agitée, et à qui il avait laissé quelque chose, petit ou grand, selon ses restes de sentiment ou sa fantaisie du moment. Mais je ne vous raconte pas tout : ce n'est pas son roman.

Je vous dis seulement qu'il a tout laissé ou presque à sa fiancée, qui voulait tant se marier. Il devait vraiment l'aimer, celle-là. Elle a pleuré. Les membres de sa famille ont pleuré, eux aussi, mais de rage, parce qu'il ne leur a rien laissé ou presque. Ils ne devaient pas vraiment l'aimer, eux.

Si je peux vous raconter tout ça, c'est parce que j'étais là. Je prenais des notes dans ma tête, dans mon cœur, historien malgré moi de mon ami trop tôt en allé. C'est qu'il m'avait laissé son *putter*, le grand fou que j'aimais tant ! Parce que son *putter*, il me portait chance sur les verts, je lui avais même offert cinq cents dollars pour l'avoir. Il avait dit non ça me coûterait trop cher en paris, tu vas commencer à me battre si je dis oui, tu l'auras quand je serai mort, pas avant. Il a tenu parole.

Henri-Paul, pourquoi es-tu parti si tôt ?

Pourquoi n'as-tu jamais voulu te faire examiner comme on est supposés à notre âge ?

Tu disais que ça portait malchance de voir son médecin, je sais, et que tu croyais juste au destin… Ben, ça ne t'a pas porté chance, ta croyance, et maintenant on ne pourra plus jamais jouer au golf ensemble, jamais…

C'est pas très original, cette pensée, je sais, mais quand tu le vis, le « jamais » associé à ton meilleur ami, ça te fait mal, banal ou pas, et je ne te le souhaite pas, même si c'est la seule façon que tu comprennes, lecteur, mon ami…

J'ai pensé à Alexandra, encore très belle, encore très jeune, qui s'est levée, humiliée et offensée, quand elle a su la part dérisoire qui lui revenait. Je me suis mis à rire tout seul, peut-être pour compenser pour la pensée du « jamais ».

Mon voisin de siège, un quadragénaire très correct avec un costume et une cravate, m'a regardé, intrigué. Il ne pouvait pas comprendre. Il ne pouvait d'ailleurs probablement pas comprendre grand-chose parce que, le front couvert de sueur, le regard fixe, il se torturait depuis une heure pour trouver le mot mystère, dans la grille du même nom, où il n'y avait plus beaucoup de lettres libres.

Puis j'ai pensé au moment où le notaire m'a dit, devant tous les autres qui tremblaient de se voir déposséder, de surcroît par quelqu'un qui n'était pas de la famille, qui n'était que son ami, grand ou pas : « Henri-Paul vous laisse son *putter* », et je me suis mis à pleurer, pas chez le notaire, dans l'avion. Chez le notaire, tout le monde a souri, soulagé. Mon voisin de cabine s'est arraché à son exercice de haute voltige intellectuelle et m'a regardé avec défiance, comme si j'avais un malaise tellement douloureux qu'il provoquait les larmes chez un homme, et comme c'est en principe la seule cause d'un effet si honteux… Il m'a demandé : « Vous êtes O.K. ? » J'ai dit non, mais ce n'est pas grave, c'est juste métaphysique. Il a sans doute compris « physique » car il a dit quand le physique ne va pas, plus rien ne va. Je n'ai pas répondu, il fallait que je réfléchisse à ce qu'il venait de dire.

L'agente de bord dont j'aurais peut-être apprécié la beauté en d'autres circonstances, s'est alors approchée et a dit est-ce que je peux vous aider ? J'ai dit non, puis je me suis ravisé et j'ai dit apportez-moi un Glenfiddich. Elle a dit un quoi ? Je me suis repris, j'ai dit, un scotch, apportez-moi un scotch. Double. Je n'en bois jamais, mais là j'avais envie de boire quelque chose à la mémoire de mon ami.

Quand j'ai eu mon verre de plastique, un crime contre la majesté du scotch qu'aurait mal toléré Henri-Paul, je l'ai levé et j'ai dit : « À ta santé, vieux frère ! », tout en me faisant la réflexion que l'expression était un peu fautive, ou en tout cas était maintenant le cadet de ses soucis, comme du reste elle l'avait été toute sa vie !

Mon voisin s'est arraché à ce qui commençait à ressembler pour lui à la quadrature du cercle, il s'est à nouveau tourné vers moi, et il a dit : « Je ne bois pas. » J'ai failli dire, je m'en doutais mais je me suis retenu. Je me suis contenté de sourire, et, dans un grand mouvement de compassion universelle, j'ai regardé sa grille mystère et j'ai dit : « C'est idiot le mot que vous cherchez. » Il en a pris ombrage, il a dit : « De quoi vous vous mêlez ? J'ai le droit de m'amuser comme je veux ! » J'ai expliqué calmement : « Non, je veux dire, le mot que vous cherchez, c'est le mot "idiot". »

Il a sourcillé, au comble de l'incrédulité puis, quand même piqué par le démon de la curiosité, il a regardé sa grille, a souri, triomphalement, comme De Gaulle entrant aux Champs-Élysées après la Libération, et s'est exclamé : « C'est ça que je pensais ! » Puis il a noté glorieusement, et avec une application d'écolier qui ne m'a pas vraiment étonné, le mot mystère. « I-D-I-O-T ». Je n'ai pas voulu gâcher sa joie, je n'ai rien dit.

J'ai pensé à D.

Puis j'ai pensé à Julia, ma fille de sept ans.

Puis j'ai pensé au Millionnaire, que je reverrais sous peu, au cours de ce voyage inattendu…

À moins que…

À moins que ce courriel ne fût qu'un canular, une plaisanterie.

En effet, comment savoir ?

Oui, comment savoir la provenance véritable d'un courriel, comment savoir que son signataire n'est pas un faussaire ?

Si c'était D. qui était derrière tout ça, D. si astucieuse, comme Pénélope pour Ulysse, mais à l'envers, si je puis dire, qui voulait simplement s'assurer que je ne renoncerais pas à la dernière minute à mon voyage, comme il m'était arrivé si souvent dans le passé, pour toutes sortes de raisons, valables ou non…

Comment savoir ?

Car n'était-ce pas invraisemblable, au fond, que le Millionnaire réapparaisse ainsi dans ma vie après vingt ans ?

J'ai vidé mon verre, non sans une grimace parce que ce n'est pas ma tasse de thé, le scotch, puis j'ai commandé du blanc. Je me suis dit il faut être positif, n'est-ce pas ce que tu proclames constamment ?

J'ai pensé à mon voyage…

Je n'avais emporté que le strict nécessaire, quelques vêtements, une bonne paire d'espadrilles, des livres de voyage, mon ordi, et le « dodo » de ma fille Julia : c'est une jolie écharpe de satin blanc, avec des roses et d'autres décorations, qui appartient à sa maman. Objet de transition, comme disent les psychologues, ça l'aide à mieux supporter l'absence de sa mère, moi ça m'aide à supporter la sienne et ça me laisse un peu croire, utile illusion, que D. m'a accompagné à Rome, car l'écharpe embaume son merveilleux parfum, *Destiny*, et comme il y a beaucoup de l'âme d'une femme dans sa fragrance…

Parce que deux précautions (contre la nostalgie) valent mieux qu'une, j'ai aussi apporté une photo de Juju avec Binou, son nouveau chiot de cinq mois, un adorable mélange de poméranien et de pékinois.

Aussitôt mes bagages déposés à la consigne de l'hôtel – on arrive toujours trop tôt pour trouver notre chambre prête ! – et malgré le décalage horaire, je ne résiste pas à la tentation d'aller me balader, animé par cette énergie qui s'empare de tout voyageur digne de ce nom à son arrivée dans une ville aimée ou nouvelle.

Le lendemain, jour convenu du rendez-vous, j'arrive un peu à l'avance *piazza Rotonda*.

Midi arrive.

Pas de Millionnaire.

Midi trente.

Toujours pas de Millionnaire.

Je me sens idiot, pas autant que mon compagnon de cabine, mais idiot quand même. Je plisse les lèvres. Maintenant j'en suis sûr, c'est D. qui est derrière tout ça !

Elle m'a bien possédé !

Bon, d'accord, je suis à Rome, et il y a pire comme punition, mais tout de même c'est l'idée…

Pourtant je réfléchis et je me dis que, tout compte fait, je ne peux pas en vouloir à D., elle sentait que ce voyage était nécessaire pour moi, pour elle, pour notre couple, et elle a pris tous les moyens pour ne pas que ça avorte…

N'empêche, je suis déçu car mon imagination de romancier s'était enflammée à la pensée de cette mission importante que le Millionnaire voulait me confier…

Mais bon, je ne suis tout de même pas pour me transformer en statue (il y a en a déjà bien assez à Rome !) en restant *ad vitam æternam* planté comme un con devant le Panthéon !

Je suis sur le point de tirer ma révérence pour aller jouer les touristes, lorsque je vois une longue limousine noire s'immobiliser à côté de moi…

— 3 —
Où le Millionnaire me confie une mission

La vitre arrière de la limousine s'ouvre aussitôt, et je vois apparaître le visage souriant du Millionnaire !

« Marc Fisher, dit-il avec ironie, quel bon vent vous amène à Rome ? »

Je me contente de sourire.

Toujours ce même sens de l'humour !

Je suis épaté, ému.

Il m'invite à monter dans la limousine et je prends place sur la banquette à ses côtés. Il indique au chauffeur le nom d'un café et la limousine démarre.

Dire qu'il n'a pas changé du tout serait inexact, car en vingt ans, tout le monde change. Mais disons qu'il a vieilli avec une grâce remarquable. Il y a bien quelques rides supplémentaires qui viennent sillonner son beau front haut, ses lèvres sont un peu plus minces, et il me semble qu'il a perdu quelques kilos, mais sinon ce sont les mêmes yeux bleus à l'éclat rieur, cette chevelure presque aussi abondante et qui était déjà parfaitement blanche à l'époque. Et il y a son élégance, ce costume de lin crème, ce foulard de soie, et ces chaussures de cuir fin… Surtout, il est entouré de la même aura mystérieuse, mélange de calme et d'amusement. C'est cela, oui, je crois, qui me frappe le plus. C'est ça qui n'a pas changé en lui, qui est resté identique, malgré le passage du temps…

Je me dis du reste que moi non plus je n'ai pas trop changé en vingt ans, car lui aussi m'a reconnu, après tout ! Mais cette petite vanité – les auteurs en ont plusieurs, dont la liste retarderait indûment ce récit ! – cède vite la place à un sentiment beaucoup plus profond : celui, infiniment consolant, de retrouver mon mentor, un véritable deuxième père… Et à ce moment de ma vie, ça ne pouvait mieux tomber…

«Il faut que je vous dise, quand j'ai reçu votre courriel, j'avais déjà décidé de partir pour Rome, c'est vraiment un hasard incroyable...

— Vous croyez encore à ça, le hasard, jeune homme ? », me questionne le Millionnaire.

Je n'ai rien dit, je me suis contenté de sourire. Tout à coup, comme ça avait été le cas dans le passé, en sa présence, je me sentais plus calme. Ça venait de lui, j'en étais sûr, sa sérénité était contagieuse.

Jeune homme…

Hum, voilà qui est excessif, car si je ne prenais régulièrement, disons tous les mois, ce que j'appelle par coquetterie des « vitamines très foncées », et qui sont vous savez quoi, mes tempes juvéniles ressembleraient moins à celles d'un jeune homme…

« Mais dites-moi, qu'est-ce vous devenez ? Je sais que vous écrivez beaucoup parce que je vois vos livres dans les librairies, votre visage dans les journaux, mais à part ça, comment la vie vous traite-t-elle ?

Pendant que la limousine continue de rouler, pas très vite il est vrai, dans les rues magnifiques et achalandées de Rome, surtout un midi en semaine, je prends quelques minutes pour raconter au vieux philosophe ma vie, la chance que sa rencontre m'a procurée dans ma carrière de romancier, les livres dont il est le personnage central, un peu comme le fut Socrate dans les dialogues de Platon. Je lui parle aussi de ma rencontre avec D., de la naissance de Julia. Il écoute, attentif.

Puis il me toise, et comme s'il avait pu lire en moi le malaise profond qui me ronge, il dit :

« Mais êtes-vous heureux ? »

Question un peu brutale, qu'on n'est pas habitué à se faire poser, même par des amis intimes. Il n'y avait que D. qui me la posait et aussi Henri-Paul, mais c'était seulement quand on arrivait sur un terrain de golf et il connaissait déjà la réponse ! Si j'y pense, il ne viendrait jamais à l'idée de mon père qui m'adore et que j'adore, et avec qui j'ai une excellente communication de me poser pareille question. Et c'est peut-être pour cette raison que je trouve le Millionnaire si spécial. Parce que lui, justement, n'hésite pas à me poser pareille question...

Mais trêve de philosophie. Ce n'est pas moi le philosophe, mais celui qui est assis à côté de moi, dans sa luxueuse limousine, oui, le Millionnaire, magnifique, radieux et calme, sorte de paradoxe absolu dans notre monde de fous !

Prenant mon courage à deux mains (mais pas assez pour lui parler de ma crise conjugale !), je raconte alors au vieux philosophe les difficultés que je traverse, lui avoue que, inexplicablement, je suis sans idées depuis de longs mois, moi qui ai toujours été si prolifique.

« Hum, fait-il à la fin de mon bref récit, le hasard, comme vous l'appelez, fait bien les choses...

— Je ne suis pas sûr de vous suivre...

— Votre présence ici m'arrange, et elle va vous arranger aussi, vous allez voir... Votre panne d'écrivain est terminée ! m'annonce gaîment le Millionnaire.

— Je sais que Rome est une ville inspirante, mais je...

— Votre prochain livre est pour ainsi dire déjà écrit», me coupe-t-il.

J'écarquille les yeux.

« Mon prochain livre ? Je n'ai même pas de sujet. »

Mais avant de m'en dire plus, nous descendons de la limousine qui vient de s'arrêter devant la terrasse d'un café fort achalandé. Il semble ne pas y avoir de place, mais les quelques euros prestement allongés par le Millionnaire donnent de la mémoire au gérant. Tout à coup, la meilleure table est libre !

Nous nous y assoyons, commandons une consommation. Le Millionnaire, qui décidément n'a pas changé, demande un coca diète, et moi, je ne résiste pas à la tentation d'un autre café, même si j'en ai déjà pris deux, le double de ma ration normale !

« Votre prochain livre va s'appeler *Le Secret de la rose*.»

Je n'étais qu'à demi étonné par ce titre. Je savais que la reine des fleurs avait toujours occupé une place particulière dans la vie de l'excentrique millionnaire. Non seulement sa roseraie personnelle était-elle fort impressionnante, mais il utilisait souvent la rose dans ses enseignements, et il en arborait presque toujours une à la boutonnière, comme d'ailleurs en ce moment; détail que, sous le coup de l'émotion, j'ai omis de mentionner.

Je savais aussi, pour m'être personnellement intéressé aux roses et en avoir cultivé dans mes temps libres que, depuis les temps les plus reculés, la rose avait été associée à la royauté, à la noblesse. Elle avait aussi été liée au mystère, au secret.

Ainsi, dans la Rome ancienne, lorsque les citoyens tenaient des réunions clandestines, ils avaient coutume de placer un bouquet de roses au-dessus de la porte. D'où l'expression *sub rosa*, sous la rose, qui signifie : en secret.

« Les premiers chrétiens », expliqua le Millionnaire qui complétait aimablement mes connaissances fort rudimentaires, « ornaient de dessins de roses les murs des catacombes, car cette fleur représentait non seulement pour eux leur foi, mais aussi la vie après la mort, ou si vous préférez la vie éternelle. La rose la plus importante pour eux était la rose à cinq pétales, car cette rose rappelait les cinq plaies du Christ sur la croix.

— Hum, fascinant… »

Les cinq plaies du Christ, aux deux pieds, aux deux mains, et enfin celle, à la poitrine, causée par le fatal coup de lance du centurion…

« De même que le Pentateuque comporte cinq rouleaux, c'est même sa signification en grec, *Le Secret de la rose* possède cinq volets… La connaissance de ces cinq volets permettra à tout homme qui les découvre et les accepte de comprendre la raison de sa pauvreté s'il est pauvre, et de son malheur s'il est malheureux. Cette connaissance lui permettra aussi de trouver ou de retrouver le compagnon de vie idéal, ou d'apprivoiser la solitude qui, à une époque de sa vie, est peut-être nécessaire à son progrès intérieur. »

Je pensai que j'aurais peut-être besoin de ce secret de la rose en ce moment même, de toute urgence, car après moins de deux jours passés sans ma femme, sans ma fille, elles me manquaient déjà, je suis comme ça, malgré l'ivresse de Rome, malgré la présence réconfortante du Millionnaire…

« *Le Secret de la rose*, poursuivit le vieil homme, est aussi une véritable amulette, un porte-bonheur qui augmentera votre chance et vous aidera à protéger à distance les êtres qui vous sont chers. »

Là, je le voulais ce secret, plus que tout au monde, car comme tous les parents de la terre, n'ayant jamais été séparé de Julia, je craignais qu'il lui arrive quelque chose, et mon imagination de romancier, si utile pour mettre du pain sur la table, et un peu de rêve dans l'âme des lecteurs, me desservait ici lamentablement.

« Véritable boule de cristal, ce secret aide aussi à prévoir avec une précision étonnante les accidents et les maladies qui vous guettent constamment...

— Mon Dieu, c'est... comment dire... »

Malgré la confiance considérable que je vouais au vieux philosophe, il me semblait qu'il s'emballait, et que les vertus qu'il prêtait à ce secret étaient excessives. Je fis remarquer, avec une pointe d'ironie que je regrettai immédiatement :

« On dirait la pierre philosophale des vieux alchimistes... Un peu plus et vous allez me dire que *Le Secret de la rose* peut changer le plomb en or !

— Mais C'EST la pierre philosophale ! Et comme la pierre philosophale, ce secret vous permettra de conserver ou de retrouver votre jeunesse... »

Je pensai : peut-être est-ce pour cette raison qu'il ne vieillit pour ainsi dire pas, ou si lentement que le temps semble avoir si peu de prise sur lui...

« Celui qui comprendra *Le Secret de la rose* héritera d'une richesse bien plus grande encore, il sera libéré une fois pour toutes de cette terreur des terreurs qui empoisonne presque tous les hommes : celle qu'inspire même aux plus intrépides ce simple passage d'un état à un autre qu'on appelle faussement la mort. »

Le Millionnaire marqua une pause, puis ajouta :

« Mais – et c'est peut-être sa plus grande vertu – *Le Secret de la rose* vous permettra aussi de comprendre le *mysterium iniquitatis*... »

J'avais étudié le latin, il y a des lunes, mais même si ce n'avait pas été le cas, nul n'était besoin d'être un génie pour deviner ce que pouvait vouloir dire *mysterium* : mystère, bien sûr. Et quant à *iniquitatis*, pas nécessaire d'être étymologiste pour penser à iniquité, donc injustice.

Je me demandais du reste pourquoi le Millionnaire employait une expression latine. Nous étions à Rome, certes, et à Rome il faut faire – et parler – comme les Romains (de la Rome ancienne en ce cas), mais quand même…

« *Mysterium iniquitatis* ? tentai-je avec un accent sans doute lamentable.

— Oui», expliqua le vieil homme sans pédanterie aucune, mais plutôt avec la simplicité qui caractérisait tous ses gestes, toutes ses paroles. « Le mystère du mal qui se résume ainsi : si Dieu existe, comment se fait-il que le mal prolifère partout dans le monde ? Si Dieu existe et surtout, s'il est bon, comment peut-il tolérer l'intolérable : toutes les calamités de la terre, les famines, les inondations, les épidémies, les accidents, les femmes abusées, violées, la mort de jeunes enfants, mais aussi, et c'est sans doute le plus révoltant, les incestes et les sévices sexuels innombrables dont on bafoue leur innocence… »

Je frissonnai. Non seulement parce que jamais je n'avais entendu le Millionnaire tenir des propos aussi graves, mais parce que, depuis des années, j'étais préoccupé, pour mieux dire littéralement obsédé par ce véritable « problème des problèmes », autant pour tout philosophe que pour tout homme intéressé par le sens de la vie. Jamais je n'avais pu trouver de réponse acceptable, ni de près ni de loin, à la coexistence du mal et de Dieu…

Et voilà que, par un hasard quasi miraculeux, le Millionnaire m'offrait inopinément la réponse sur un plateau d'argent. Je n'osai le lui avouer, de crainte qu'il ne me taxe de complaisance. Et du reste, une question me chicotait dont je m'ouvris illico.

« Mais pourquoi ne pas révéler vous-même ce secret au monde ? N'êtes-vous pas la personne la mieux placée pour cette tâche ?

— Je suis vieux maintenant, et je préfère, comme je l'ai toujours fait, rester dans l'ombre, c'est ma destinée… Et puis il y a aussi une question de…

— Une question de quoi ?

— Une question de sécurité.

— De sécurité ?

— Oui, si vous acceptez cette mission, il y a un risque pour vous, un grand risque…

— Que les gens ne croient pas que le manuscrit est de moi ?

— Non, non», dit le Millionnaire non sans une certaine surprise et peut-être avec un tantinet d'agacement. « Il s'agit de quelque chose de grave, de beaucoup plus grave… »

Et là, il eut une hésitation. Il regarda à la ronde, comme s'il redoutait un danger. Et comme s'il craignait qu'on ne nous entende, il baissa la voix et s'inclina imperceptiblement vers moi avant de poursuivre :

« C'est que le manuscrit du *Secret de la rose* contient une révélation bien plus importante encore : Pierre le Romain vit caché à Rome.

— Pierre le Romain ?

— Oui, le dernier pape annoncé dans les prophéties de Malachie. »

J'avais déjà entendu parler de Malachie, ce mystérieux évêque irlandais du 12e siècle, dont les prophéties étaient devenues célèbres.

« Je ne suis pas sûr de vous suivre…

— Malachie avait annoncé les 112 papes à venir à partir de l'an 1143 jusqu'à nos jours. Jean-Paul II a été le 110e pape, le pape actuel, Benoît XVI est le 111e. Pierre le Romain, qui lui succédera, sera le 112e.

— Je ne vois pas ce qu'il y a là de spectaculaire.

— C'est que, selon les prophéties, Pierre le Romain sera le dernier pape, et c'est pour cette raison qu'il porte le même nom que l'apôtre Pierre. La boucle de 2000 ans sera bouclée. Son accession au pouvoir coïncidera avec la fin du Vatican, comme on le connaît actuellement. Il vient pour rétablir l'idéal du Christ et faire en sorte que le Vatican ne soit plus une puissance mondaine, mais juste la chapelle mystique qu'il n'aurait jamais dû cesser d'être.

— Ah ! je commence à comprendre…

— Il y a à Rome des gens très puissants qui sont prêts à tout pour empêcher l'élection de Pierre le Romain, car elle menace leur pouvoir et leurs intérêts financiers, et je parle ici de milliards. Avec le père Gabrielli, un exorciseur romain célèbre, et un petit groupe de gens sûrs, j'assure la protection de Pierre le Romain. Mais grâce à votre notoriété, le monde entier connaîtra la vérité de son existence, notre groupe s'élargira et à la fin le crime odieux que ces gens planifient sera impossible. »

Maintenant, je comprenais.

Je serais en quelque sorte le porte-parole du Millionnaire : mon livre *Le Secret de la rose* révélerait la vérité au grand jour.

Mais étais-je prêt à remplir pareille mission ?

La cause me paraissait noble, et j'étais infiniment redevable au Millionnaire pour tout ce qu'il avait fait pour moi…

Mais après tout, je n'étais qu'un modeste romancier, pas Indiana Jones ou James Bond !

« Êtes-vous prêt à courir ce risque pour un vieil homme qui… »

Il ne compléta pas sa phrase. Son visage avait pris tout à coup une expression fort grave. Inquiète, et même légèrement effrayée serait mieux dit, ce que je voyais pour la première fois chez lui. Et la source de cette frayeur semblait provenir de derrière moi.

Je me retournai lentement pour savoir ce qui avait attiré l'attention du Millionnaire et surtout l'avait rendu muet lorsqu'il me prévint d'une voix grave et couverte, en remuant à peine les lèvres :

« Surtout, ne vous retournez pas ! »

Je m'immobilisai.

« Mais pourquoi ? Que se passe-t-il ? »

Pour toute réponse, le Millionnaire tira de sa poche une enveloppe vide sur laquelle il griffonna quelques mots. Il la poussa vers moi et expliqua :

« Ne la prenez que lorsque je serai parti. »

Il se leva alors, jeta un billet de 50 euros sur la table, ce qui, malgré l'inflation galopante, devait couvrir amplement le simple coca diète et le café que nous avions pris. Il me regarda avec un attendrissement particulier, comme s'il s'agissait de nos adieux, ajouta, en remuant à peine les lèvres, avec un visage sans expression :

« Vous ne me connaissez pas. Faites comme si c'était un étranger qui quittait votre table. Si vous acceptez de me rendre ce service, et je vous en serai reconnaissant pour l'éternité, soyez au rendez-vous demain à midi. Sinon je comprendrai. Quoi que vous décidiez, bonne chance, jeune ami plein de talent. »

J'esquissai stupidement le geste de lui serrer la main, me retins au dernier moment, essuyai une moue de reproche de la part du vieil homme qui quitta la terrasse, monta dans sa limousine qui s'éloigna aussitôt.

Dès que j'eus perdu de vue la limousine, je pris discrètement l'enveloppe sur la table, lut ce que le Millionnaire y avait griffonné à la hâte : fontaine de Trevi…

Et alors, dans ma nervosité – ou la fatigue persistante du décalage horaire –, je commis une petite erreur…

— 4 —

Où le mystérieux manuscrit m'est remis

Je froissai l'enveloppe et la jetai dans la poubelle attachée à un des lampadaires de la terrasse. Puis, malgré l'avertissement du Millionnaire, je me retournai, mais en prenant tout de même une précaution élémentaire, ou si vous voulez en usant d'une ruse: je me penchai d'abord et feignis de devoir renouer le lacet de mon soulier gauche. Ce faisant, je regardai derrière moi. Il y avait beaucoup de monde bien sûr: j'étais à Rome en plein jour, à la terrasse d'un café très fréquenté…

Mais de l'autre côté de la rue, appuyé nonchalamment contre un mur, se trouvait un homme d'une trentaine d'années, qui, le visage à demi dissimulé par l'ombre qu'y jetait son feutre noir à larges bords, les mains gantées également de noir, grillait une cigarette en regardant dans ma direction, comme si j'étais sous haute surveillance !

Est-ce que mon imagination (si peu sollicitée depuis des mois !) me jouait de mauvais tours ? Ce ne serait sans doute pas la première fois que pareille chose arrivait à un romancier, surtout à un romancier en vacances ! Chose certaine, le type avait une mine patibulaire... Mais comment savoir à coup sûr ? Je n'étais tout de même pas pour aller le lui demander ! J'abandonnai mon lacet, me redressai, tentai de réfléchir...

N'était-ce pas à la vue de cet homme que le Millionnaire avait changé brusquement d'humeur et avait écourté une conversation pourtant à peine engagée ?

Je jetai de furtifs coups d'œil sur l'homme au chapeau noir, assez pour me convaincre qu'il semblait s'intéresser un peu trop à mon sort. Mais peut-être aussi s'intéressait-il simplement à quelqu'un assis près de moi ?

Par exemple à ce sexagénaire, à la table voisine, qui dégustait du champagne en compagnie d'une ravissante jeune femme blonde d'à peine vingt ans, au maquillage criard et au décolleté vertigineux ? Peut-être était-il un homme marié, et sa femme, qui le soupçonnait d'infidélité, le faisait-elle suivre ?

Ou encore l'homme au chapeau noir épiait-il un de ses pairs, un membre de la mafia (?), comme ce jeune homme de vingt ans, assis à côté, qui avait l'air nerveux, car il sentait peut-être que sa vie était en danger, se savait en tout cas suivi...

Je ne pouvais courir le risque. Il fallait que je file à l'anglaise... ou à la romaine, si vous préférez !

J'attendis le moment propice. La chance me sourit. Car au moment même où l'homme au chapeau noir répondait à un appel sur son portable, un bus passait dans la rue. Je déguerpis !

Quelques secondes plus tard, j'étais tapi à l'ombre d'une porte cochère, et, pour en avoir le cœur net, je lorgnai du côté de l'homme au chapeau noir. L'autobus ne servait maintenant plus de paravent entre la terrasse du café et lui, et il venait de raccrocher. Il regarda en direction de ma table maintenant vide, et je compris que je ne m'étais pas trompé : mon imagination avait « vu » la réalité comme il m'était maintes fois arrivé dans le passé, souvent à mon étonnement ravi.

En effet, l'homme parut paniquer, et du reste s'affola encore davantage lorsqu'il se rendit compte qu'un employé du café s'apprêtait à vider la poubelle où j'avais étourdiment jeté l'enveloppe que m'avait remise le Millionnaire.

C'est là que je compris mon erreur ! Je ne pouvais évidemment retourner sur mes pas pour récupérer la précieuse enveloppe. Il était trop tard. Je ne pouvais qu'assister, impuissant, à la suite des événements. Observer l'homme au chapeau noir bousculer sans ménagement le garçon qui s'apprêtait à vider la poubelle. Il avait l'air si sérieux, si déterminé, que le jeune homme n'osa pas protester, recula d'un pas et se contenta de le toiser avec un mélange de défiance et d'étonnement.

Après quelques tentatives infructueuses (il jetait inconsidérément les vieux papiers sur la terrasse, devant le regard contrarié du garçon qui comprenait qu'il devrait tout nettoyer), l'homme ne tarda pas à retrouver l'enveloppe que le Millionnaire m'avait laissée, la défroissa, lut ce qui y était écrit et ne put dissimuler son amère déconvenue: il y avait le lieu de rendez-vous, mais pas le jour ni l'heure ! Utile précaution du Millionnaire qui décidément semblait penser à tout !

Contrarié, l'homme mit l'enveloppe dans sa poche, jeta quelques regards à la ronde, de toute évidence pour vérifier s'il ne pouvait pas me repérer, et j'eus le réflexe de me tapir plus profondément dans la porte cochère. Et du même coup je compris que je vivais un véritable roman, et que c'était beaucoup plus inquiétant, que dis-je, beaucoup plus affolant que ce que je n'avais jamais imaginé. Dans mes livres, ce n'était jamais qu'un tueur sur papier qui supprimait des personnages qui, aussi attachants fussent-ils, demeuraient eux aussi des personnages sur papier. Là, c'était un homme en chair et en os, qui s'intéressait à ma petite personne, qui n'hésiterait peut-être pas à se débarrasser de moi pour contrecarrer les desseins du Millionnaire. Beaucoup moins amusante que la fiction, la réalité ! Bon, ça je l'avais toujours su, mais pas en ce sens-là, évidemment...

Je m'en rendis doublement compte lorsque je réalisai que mon cœur battait à tout rompre. Quelle mauviette je faisais ! L'homme au chapeau noir ne m'avait même pas suivi, il ne me menaçait pas de son arme (à supposer qu'il en eût une, évidemment !) et j'étais au bord de la crise cardiaque ! Mauvais ! Très mauvais même parce que justement je n'avais pas un bon cœur: l'insuffisance mitrale dont je souffrais depuis mes quinze ans s'accommodait fort mal de semblables emballements coronariens.

Il fallait que je me calme... Et premièrement que je me raisonne, que je mette les choses en perspective : il était certain que l'homme au chapeau noir s'intéressait à moi, mais, mince consolation, il n'avait aucune manière de savoir à quelle heure avait été fixé notre rendez-vous du lendemain.

J'attendis qu'il s'éloigne, ce qui ne tarda pas car il fut vite convaincu d'avoir perdu ma trace. Puis il héla un taxi, y monta. Je soufflai un peu. Je rentrai à

mon hôtel, dans ma chambre bien exiguë malgré les 300 euros qu'elle me coûtait quotidiennement : mais, bon, j'étais à Rome, à dix minutes de marche de la basilique Saint-Pierre, il y avait une salle de bain, pas dans le corridor, et aubaine supplémentaire, le petit déjeuner était compris !

Mon premier soin lorsque je me retrouvai dans ma chambre fut de téléphoner à D., non pas pour lui narrer mes surprenantes retrouvailles avec le Millionnaire, et encore moins la manière pour le moins inquiétante dont elles avaient abruptement pris fin, mais simplement pour lui dire que j'étais arrivé sain et sauf à Rome, et que je pensais à elle…

La veille, j'avais tenté de la joindre, mais sans succès et j'avais préféré ne pas laisser de message.

Pas de réponse…

Je regardai l'heure à ma montre que je n'avais pas encore réglée sur l'heure locale. Quinze heures trois… Donc vingt et une heures trois à Montréal…

Pendant que je ruminais, j'ajustai ma montre…

Curieux que D. ne fût pas à la maison…

Pourtant, Julia, qui n'avait que sept ans, se couchait à vingt heures…

Peut-être Julia avait-elle été invitée à dormir chez une petite amie et D. en avait-elle profité pour sortir avec une copine ou aller voir un film…

Je me rassérénai, mais pas pour longtemps car tout de suite un train de pensées moins réjouissantes m'envahit.

Et si…

Et si la situation entre D. et moi était beaucoup plus grave que je ne voulais bien l'admettre…

Et si elle m'avait encouragé à faire ce voyage pour avoir les mains libres de se livrer à des « manœuvres conjugales... »

Des manœuvres comme celles dont avait récemment été victime un de mes amis romanciers. Il avait été un des rares invités à ne pas se décommander lors de notre dernière réception et nous avait raconté par le menu sa mésaventure...

Lui aussi avait été aimablement encouragé par sa femme à partir en voyage, pour se changer les idées, pas en Italie mais en Argentine...

À son retour de Buenos Aires, contre toute attente, ce n'est pas sa femme qui, comme convenu, était venue l'accueillir à l'aéroport, mais plutôt sa mère, sa mère tout éplorée qui avait la délicate tâche de lui annoncer que sa femme avait « élu domicile ». C'est lui qui nous apprit, à D. et moi, ce que signifiait cette expression juridique. Pendant son absence, sa femme avait obtenu un jugement de cour qui l'autorisait à changer les serrures du domicile conjugal (tandis qu'il se changeait les idées !) et lui en conférait la jouissance exclusive avec leurs quatre enfants ! Charmant !

Et si D., qui avait paru singulièrement intéressée par ce récit et avait bombardé de questions notre pauvre ami, avait eu l'idée d'imiter sa femme ?

Mais non, c'était insensé, notre couple traversait peut-être un passage à vide, mais nous n'en étions pas rendus là, et ce n'était pas dans le style de D. de me faire un semblable coup bas !

J'étais simplement encore sous le coup du décalage horaire. Après quelques heures de sommeil, je retrouverais ma lucidité et le sens des proportions...

Je fis de brèves ablutions, me dévêtis, m'allongeai, mais malgré mon extrême fatigue, je ne m'endormis pas tout de suite. Dans une sorte de demi-sommeil, je pensai à D., à Julia, mais aussi, bien entendu, au Millionnaire. Comme la vie était curieuse, imprévisible, surprenante !

Non seulement elle me permettait de retrouver de manière inattendue et inespérée mon vieux mentor, mais ce dernier me confiait ce mystérieux *Secret de la rose,* qui semblait être une panacée, une véritable lampe d'Aladin, d'où tous les trésors, tous les miracles surgiraient comme par enchantement !

Le Secret de la rose contenait surtout des révélations capitales au sujet de Pierre le Romain, qui serait assurément le dernier pape du Vatican, et en bouleverserait toutes les règles !

Le Millionnaire me confierait-il ce manuscrit le lendemain même, à midi, à la fontaine de Trevi, si du moins l'homme au chapeau noir ne venait pas perturber notre rencontre ?

La fontaine de Trevi…

Ce nom sans doute ouvrit un tiroir dans ma mémoire, car juste avant de m'endormir, je me revis, enfant, entrer dans cet ancien restaurant montréalais du même nom, fermé depuis longtemps. Mes sœurs et moi nous avions tout de suite adopté cet établissement de la rue Saint-Hubert, non seulement parce qu'on y servait pâtes et pizzas, régal inégalable de tous les enfants, mais parce que, à son entrée, se trouvait une grande fontaine (pas aussi grande que la vraie, bien sûr !) dans laquelle les clients, pour complaire à la déesse de la Chance, jetaient des pièces de monnaie.

Il y en avait des milliers et pas juste des sous noirs : je m'endormis avec la vision émerveillée de leur poétique scintillement…

Le voyageur d'Amérique à l'Europe qui n'a pas la sagesse – ou la force – de se coucher tard les premiers jours de son séjour a en général la désagréable surprise que je connus : le réveil au beau milieu de la nuit, en fait à une heure du matin. Ce réveil précoce fut d'autant plus désagréable que je me réveillai en sursaut, le front baigné de sueur malgré la fraîcheur de la chambre…

Pas étonnant, car je venais de rêver que je tentais d'échapper à l'homme au chapeau noir !

Seul avantage de ce réveil nocturne, il est sept heures du matin à Montréal, et D., matinale s'il en est, est sans doute levée depuis une bonne heure et rendue à son troisième café. Je lui téléphone mais tombe avec déception sur le répondeur. Je fronce les sourcils. Comment se fait-il qu'elle ne réponde pas ? Est-ce possible qu'elle n'ait pas couché à la maison ? Et si c'est le cas, où a-t-elle passé la nuit ? Et en quelle compagnie ? Voilà à nouveau que mon imagination s'emballe ! Ce doit être tout simplement mon épuisement moral qui me rend si vulnérable, si imaginatif…

Bon, je me contente de laisser un bref message : « C'est moi, je voulais juste te dire que je suis bien arrivé à Rome, hier, je me suis trouvé un petit hôtel sympa, le Fontana Borghese… j'ai essayé de t'appeler, mais il n'y avait pas de réponse… Sinon il fait beau, ici, plus qu'à Montréal mais ça, ce n'est pas un exploit, il y a beaucoup de monde mais comme disait l'autre, un seul être nous manque et tout est dépeuplé. J'espère que Julia et toi vous allez bien, et Binou aussi, bien entendu... Je t'aime et je tente de te rejoindre plus tard... »

Je tente de te rejoindre plus tard...

Te rejoindre...

Comme si je l'avais perdue...

Comme si on s'était perdus de vue...

À cause de moi sans doute, toujours pris dans un roman, ce qui a fait dire un jour à D. que la vie avec un romancier était impossible. Quand je n'écris pas, je suis « marabout », et quand j'écris, je suis ailleurs : c'est la quadrature du cercle romanesque, du moins pour la compagne du romancier ! Elle était furieuse, certes, ce jour-là, et ses mots ont sans doute dépassé sa pensée, comme on dit, mais il y a souvent de la sagesse dans la colère d'une femme...

« Pas de chagrin qu'une heure de lecture ne m'ait ôté », a dit Montesquieu ou un autre, je ne sais plus trop, car je perds des morceaux.

Visiblement, je ne suis pas Montesquieu, ou son chagrin était autre que mon inquiétude, car moi, même au bout de deux heures de lecture, je suis encore tourmenté... Heureusement, le sommeil me délivre à nouveau, et je me réveille à une heure normale pour moi, c'est-à-dire cinq heures...

Même si j'en ai follement envie, je préfère ne pas téléphoner à Montréal de crainte de tomber une fois de plus sur le répondeur... Mes nerfs déjà éprouvés ne seraient peut-être pas capables d'essuyer un troisième appel inutile.

Je me concentre plutôt sur ma rencontre de ce midi, à la fontaine de Trevi. J'y reverrai sans doute le Millionnaire qui me remettra ce manuscrit dont il m'a tant vanté les mérites.

Mais si l'homme au chapeau noir est là, il fera tout avorter…

Comment le déjouer ?

Je pense à une astuce, à laquelle un de mes personnages a déjà pensé par le passé dans un roman dont j'ai oublié le nom : je me déguiserai !

Je prends le dodo de Julia, et je le passe sur ma tête, comme font souvent les femmes, par jours de grands vents. Je le noue assez serré, puis je mets des verres fumés : je serai à armes égales avec l'homme au chapeau noir !

Je me regarde dans la petite glace de la salle de bain : bon, j'ai l'air un peu bizarre, mais pas assez pour attirer l'attention, c'est l'essentiel. En tout cas, je suis méconnaissable et je prends bien entendu la précaution de porter autre chose que la veille. Je troque ma veste pour un imper, même si un soleil éblouissant brille sur la ville éternelle ! Je me sens quelque peu ridicule dans cet accoutrement, mais me console à l'idée que mes chances de croiser un ami ou une connaissance à Rome en avril sont plutôt minces, sinon nulles…

De crainte de rater ce rendez-vous capital avec le Millionnaire, j'arrive une bonne demi-heure à l'avance. Pour tromper ma nervosité, je me suis apporté un livre, *Le Temps retrouvé* de Proust, que j'ai lu cinq ou six fois, car je l'apporte souvent en vacances, en général à la plage, et c'est chaque fois une expérience nouvelle, comme la mer toujours recommencée de Valéry, comme l'amour avec la même femme, même après dix années. Mais je suis trop nerveux, je suis incapable de lire, et puis il y a Rome devant moi, Rome qui s'offre avec toutes ses splendeurs: déloyale concurrence pour un livre, même génial! Je sais, les Romains ne voient sans doute plus leur ville, mais pour une fois, il ne faut pas vivre comme les Romains, surtout lorsqu'on n'est que touriste de passage (forcément trop bref) à Rome.

Qui n'a jamais vu une fontaine romaine n'a pas idée de ce que peut être une fontaine...

Et qui n'a jamais vu la fontaine de Trevi n'a pas idée de ce que peut être une fontaine romaine...

Je l'avais vue il y a quelques années bien sûr, et sa légende a sûrement opéré dans mon cas, car lancer une pièce dans son bassin, le dos tourné au puissant Neptune, son personnage principal, est le gage d'un retour à Rome. Or j'y suis, mais sans D. Nous avions lancé ensemble la pièce au-dessus de mon épaule, mais c'est moi qui la tenais: elle ne tenait que ma main. N'avons-nous pas commis une erreur? N'aurions-nous pas dû faire la dépense d'une pièce supplémentaire que nous aurions lancée chacun de son côté?

Bon, trêve de suppositions! Je me rendrai fou à jouer pareil jeu, que je m'explique en partie par l'oisiveté prolongée de mon esprit. Je tente de m'absorber dans la contemplation de la fontaine, m'attarde sur la déesse de l'Abondance, dans la niche de gauche, cette déesse qui m'a si souvent souri, depuis des années.

Je consulte ma montre.

Midi, et point de Millionnaire.

Curieux: il est toujours si ponctuel, enfin si on excepte notre rendez-vous de la veille.

Je fais quelques pas, sans vraiment m'éloigner de la fontaine. Midi quinze. Je ne comprends pas.

Se peut-il que le vieux philosophe me fasse faux bond?

Ce n'est pas dans sa manière, d'autant plus que le rendez-vous semblait de la plus haute importance à ses yeux...

Mais peut-être s'est-il rendu compte que nous étions épiés, peut-être a-t-il repéré, dans la foule nombreuse de touristes, l'homme au chapeau noir de la veille, et, par une prudence élémentaire, il a préféré remettre le rendez-vous...

Je regarde à la ronde, observe les touristes qui, pour la plupart, lancent des pièces en croisant les doigts dans l'eau de la fameuse fontaine ou tentent d'immortaliser cet instant par quelques clichés.

Pas d'homme au chapeau noir...

Un travelo, dont le maquillage cache mal une barbe visiblement forte, me repère, me trouve visiblement de son genre et me décoche une sourire allumeur auquel je ne réponds pas. Il croit que je ne l'ai pas vu, repasse, plus lentement cette fois-ci, se dandine et me fait avec la langue un geste non équivoque. Comme je ne réagis pas, il poursuit son chemin, mais au bout de vingt pas, je le vois qui rebrousse chemin, visiblement en une ultime tentative de séduction. Il a replacé son faux buste, remonté sa jupe rouge, et s'avance...

Bon, me dis-je, il est temps que je lève le camp et établisse ailleurs mes quartiers.

Mais au moment où je me lève, j'aperçois, qui passe pour la seconde fois devant la fontaine, une jeune religieuse. Fait banal à Rome où les religieuses pullulent. Mais j'avais remarqué qu'elle était particulièrement jolie, une véritable déesse, et je m'étais passé la réflexion que bien des hommes avaient dû avoir avant moi, que, avec tout le respect que je devais à sa vocation, tant de beauté inutilisée était du gaspillage pur et simple...

Il y a un détail pourtant que je n'avais pas relevé, un détail de sa tenue vestimentaire qui aurait dû attirer mon attention: en une coquetterie inusitée pour une religieuse, était agrafée à son cou, sous son menton, une rose...

Une rose !

C'est de toute évidence le signe auquel a pensé le Millionnaire…

Je rejoins la jeune femme, et lui demande, en français :

« Êtes-vous envoyée par le Millionnaire ? »

Sans se retourner, sans même ralentir le pas, elle se contente de dire, en français mais avec un accent italien, le visage dépourvu de toute expression :

« Retrouvez-moi à la porte de la bibliothèque du Vatican, dans une heure. »

Et elle presse le pas.

Je m'immobilise, la regarde s'éloigner, médusé, heureux aussi de la tournure des événements : décidément, le Millionnaire ne fait jamais les choses comme on s'y attend !

J'abaisse le foulard de Julia, et me contente d'en enserrer mon cou. Mon déguisement, ce me semble, est devenu inutile. Une heure plus tard, je suis au rendez-vous à l'entrée de la bibliothèque du Vatican. Je l'ai visitée lors de mon premier séjour. Elle contient d'innombrables manuscrits anciens auxquels le public n'a pas accès. Des manuscrits qui, dit-on, comportent des secrets étonnants.

L'idée, toute naturelle, me traverse alors l'esprit : le manuscrit du *Secret de la rose* proviendrait-il de ces archives légendaires, et le Millionnaire, grâce à son influence et ses contacts, est-il parvenu à l'en faire sortir, le temps que je le recopie ? Cette perspective lance mon imagination dans de folles expéditions. Mais je me ressaisis, et me rappelle le but de mon rendez-vous.

Il y a certes beaucoup de religieuses et de religieux, de toutes confessions, portant des vêtements variés, mais je reconnaîtrai sans peine la complice du Millionnaire, car elle arbore une rose.

C'est pourtant une jeune religieuse sans fleur à son col qui s'arrête devant moi, esquisse un léger sourire et dit :

« Vous avez une jolie écharpe. »

Pourquoi cette religieuse me fait-elle ce compliment inopiné ? Qu'une femme m'aborde, je ne devrais pas m'en étonner outre mesure même si, pour être parfaitement honnête avec vous, la chose m'arrive un peu moins souvent depuis quelques années, la dernière fois s'étant produite il y a quatorze ans, à Puerto Vallarta, et de surcroît ce n'était qu'une péripatéticienne, exploit bien modeste !

Comme il arrive si souvent dans la vie, mon anticipation m'a joué un mauvais tour. Je cherchais une rose, la jeune femme n'en porte plus à son col. Près du lieu de son travail, sans doute pareille coquetterie aurait-elle été déplacée. Je la replace enfin, lui souris pour le lui signifier... Comment ai-je pu oublier semblable visage d'une beauté si parfaite ?

Elle tient dans sa main droite un paquet, enveloppé dans du vulgaire papier brun ficelé d'une corde grossière. Elle paraît nerveuse, comme si un danger la guettait, et parle en jetant régulièrement des œillades furtives à gauche et à droite...

« Je m'appelle sœur Raphaëlla, je ne peux pas vous parler longtemps. »

Elle s'interrompt, et son regard semble s'attarder sur ma gauche. Je me tourne et aperçois un ecclésiastique en soutane noire, un sexagénaire corpulent, au crâne luisant et chauve, aux yeux profondément cernés et à l'expression fort sérieuse, presque grave…

Il semble s'intéresser à nous ou en tout cas à sœur Raphaëlla, ce qui n'a rien d'étonnant vu sa beauté. Bon, d'accord, cet homme sinistre est un ecclésiastique, mais les écarts de conduite sont choses courantes chez les religieux, en notre époque (et depuis des siècles en fait !) alors, pour les écarts de pensée ou d'admiration peu condamnables, la chose doit être encore plus banale…

« Voici la première section du manuscrit, explique sœur Raphaëlla. Je vous remettrai les autres plus tard. C'est le Millionnaire qui a souhaité que nous procédions ainsi. »

Elle me confie alors le paquet.

« Vous êtes descendu à quel hôtel ?

— Fontana Borghese.

— Bien. Je vous contacterai. Bonne chance. »

Elle tourne les talons, et la tête penchée comme dans un mouvement de recueillement, elle rentre à la bibliothèque.

Je me retrouve seul. Je m'éloigne aussitôt. Et je me rends alors compte que ce n'est pas sœur Raphaëlla qui intéressait vraiment l'antipathique ecclésiastique chauve, mais moi, car en me retournant discrètement à deux ou trois reprises, je constate qu'il me suit dans les rues de Rome !

— 5 —

Le premier pétale : la loi de la manifestation

Si j'avais eu des doutes que le prêtre chauve me suivait, ils se seraient tout de suite envolés lorsque j'ai pressé le pas et qu'il m'a immédiatement imité.

J'ai accéléré à nouveau, persuadé de le semer en moins de deux vu son âge et son embonpoint. Et puis j'ai de toute évidence un autre avantage sur lui : il n'a pas l'air très sportif et je fais de la course à pied depuis l'âge de seize ans !

Il m'étonne pourtant, et même s'il doit bientôt tirer un mouchoir de sa poche pour s'en éponger le front, même s'il doit détacher deux ou trois boutons de son col déjà trop serré pour mieux respirer, il parvient contre toute attente à maintenir la cadence et à me suivre sans que je puisse vraiment le distancer. C'en est trop. Je tourne un coin et cette fois-ci je détale, je fais un sprint, m'engage dans la première ruelle, ne ralentis pas, et enfin le sème.

Dix minutes plus tard, je rentre essoufflé mais rassuré à mon hôtel, demande à la réception s'il y a des messages pour moi, et au moment où l'employé me répond par la négative, je me frappe le front : j'ai laissé à D. le nom de l'hôtel, mais pas le numéro de téléphone, et ce ne doit pas être évident avec le 411 à Rome, surtout quand tu ne parles pas italien... Évidemment, il y a sur Internet, où tu peux tout trouver ou presque et pour zéro sou. Mais D. n'y a peut-être pas pensé.

Quelques secondes après je suis dans ma chambre. J'ai posé le paquet sur la petite table de travail mise à ma disposition juste à côté de mon ordinateur.

Je m'empare de mon canif suisse que mon grand ami Christian H. G. m'a offert, il y a plusieurs années, et dont je ne me sépare pour ainsi dire jamais, et je tranche d'un seul coup la grosse corde du paquet, en écarte presque tremblant le papier. J'éprouve une certaine déception. C'est que la page frontispice n'a rien à voir avec le papier parcheminé que j'attendais, et il est évident que cette belle page blanche format lettre n'a jamais séjourné dans les voûtes vénérables de la bibliothèque du Vatican. Pourtant, une émotion me gagne aussitôt, car le titre, *LE SECRET DE LA ROSE,* a été écrit à la main, à l'encre noire, d'une très belle écriture, celle du Millionnaire. Sous le titre, pas de nom d'auteur, comme la tradition le veut mais le dessin, à l'encre rouge, d'une magnifique rose à cinq pétales, que je crois aussi de la main du vieil homme. Je ne lui connaissais pas ce talent....

Je tourne la page frontispice, et trouve une nouvelle rose dessinée mais différente de la première, car sur l'un de ses pétales est calligraphiée *la loi de la manifestation*.

Je tourne la page, mais ne la lis pas tout de suite. Au lieu de cela, comme saisi d'un pressentiment, je feuillette fébrilement le manuscrit fort mince et ne tarde pas à me rendre compte qu'il ne s'agit pas d'une œuvre traditionnelle. À toutes les deux pages, ou presque, se trouvent intercalées des pages carrément arrachées à d'autres livres !

J'ai un mouvement de déception.

Il y a bien, çà et là, des notes de la main du Millionnaire, et des annotations à même les pages détachées des divers ouvrages consultés, mais ce que j'ai entre les mains est loin d'être un manuscrit achevé. En fait, c'est tout au plus un amas de notes et de citations qui pourront éventuellement servir à la composition du fameux *Secret de la rose*. Le Millionnaire s'est moqué de moi !

Au début, je me hérisse puis je comprends et souris : c'est exactement à la manière du Millionnaire, voilà la pédagogie à son apogée. Il a fait une partie du chemin, certes, mais je dois faire l'autre !

Oui, au fond cela sera plus salutaire à ma résurrection littéraire et je me sentirai moins comme un imposteur lorsque j'apposerai mon nom sur la version définitive du manuscrit !

Je dévore cet opuscule et ma première observation, c'est que j'aurais sans doute souhaité une disposition différente pour certaines citations, surtout que les premières ne me semblent pas, comment dire, aussi ésotériques et bouleversantes que je ne l'aurais cru.

Mais je pense aussi que le Millionnaire est un pédagogue hors pair et que ce n'est peut-être pas par hasard qu'il a procédé ainsi, allant du simple au complexe, du naturel au mystérieux…

Toutefois, mettons fin à cet interminable préambule et voyons de quoi il en retourne. Voici les premiers mots du Millionnaire :

« Depuis les temps les plus anciens, les sages, les mystiques et les philosophes ont répété : "Le monde est un reflet de l'esprit." De même que Hermès Trismégiste a dit : " Ce qui est en haut est comme ce qui est en bas", ce qui est à l'extérieur est comme ce qui est à l'intérieur. C'est la loi de la manifestation dont nous avons tous les jours d'innombrables exemples dans nos vies. Aussi, de même que le cuir est la matière du cordonnier et le chanvre du tisserand, l'esprit est la matière du sage et du véritable millionnaire. Pour changer son monde, il faut changer son esprit, et pour changer son esprit il faut en élever les vibrations : voilà l'alchimie véritable.

« À l'homme aux vibrations élevées, tout est possible, et ce que les autres appellent par ignorance un miracle est pour lui une chose aussi réelle qu'une tasse de café ou un panier d'osier. À l'homme dont les vibrations sont basses, rien ne semble possible, et sa vie est une succession de déboires et de malheurs de toutes sortes. Comment s'engager résolument et pour de bon sur le chemin du bonheur, de l'abondance et de la chance ? Par le travail sur soi, l'acquisition des vertus magiques, et l'accumulation des mérites, fruit de ses bonnes pensées, de ses bonnes paroles, de ses bonnes actions. À mesure que s'élèvent les vibrations d'un homme, s'élèvent son point de vue et son rayonnement sur le monde et les êtres. Tel est le premier pétale du *Secret de la rose*. »

Il a ajouté : « Mais quelle est la vibration suprême, le raccourci vers l'abondance illimitée et le bonheur véritable ? »

Suit simplement une page (29) arrachée d'*Ultimes paroles*, de Baird Spalding : « Nous avons aujourd'hui la preuve expérimentale que toute fonction, toute chose dans la totalité de l'univers est divine. Appelez cette divinité du nom que vous voudrez, le plus grand est le mot " Dieu". Pourquoi ? Nous pouvons vous démontrer que ce mot vibre au taux de 186 milliards de battements par seconde, et nous connaissons des gens capables de le chanter. Mais la beauté de l'affaire, c'est qu'au moment où vous le psalmodiez, vous êtes chaque fois cette *vibration*. (...)

« Dès que vous employez le mot Dieu avec compréhension, croyance et connaissance, vous établissez la plus haute *vibration* connue aujourd'hui. Cette influence assemble de la substance, et, aussitôt que vous exprimez vos pensées, cette substance vous appartient. »

Noté en lettres capitales: QUE CELUI QUI PEUT COMPRENDRE COMPRENNE...

Et en plus petit : « malgré le courant matérialiste envahissant qui engendre les ténèbres de l'âme à la vitesse de 666... »

Puis cette équation:

HOMME + MONDE - DIEU = 0

Je ne m'attarde pas trop à réfléchir à cette équation énigmatique, à la place je pense à un exemple de la loi de la manifestation.

La femme qui trouva la maison de ses rêves

Une amie cherchait une maison.

Son mari en déniche une qu'il adore, ils font une offre qui est acceptée après quelques négociations.

Mais la banque, qui doit donner son approbation, fait des difficultés, demande document sur document. Les choses traînent, et mon amie et son mari commencent à craindre de perdre la maison, car le vendeur s'impatiente. L'agent doit lui faire signer une prolongation, mais ce dernier semble réticent et en tout cas il est difficile à rejoindre, volontairement ou pas...

De plus en plus inquiète de perdre la maison, mon amie fait alors le rêve suivant.

C'est la nuit dans son rêve, et elle tombe dans une rivière dont le courant est très fort. Elle tente de nager à contre-courant, de toutes ses forces, car elle voit s'éloigner, désespérée, la maison qu'elle tente d'acheter et en plus, comme le courant l'emporte, elle se dit: *« Je ne peux pas mourir, j'ai de jeunes enfants ! »*

Elle aperçoit alors un fil dans l'eau, se croit sauvée, se dit: *« Je n'ai qu'à l'attraper et m'y accrocher. »* Elle parvient à mettre la main sur le fil, mais contre toute attente, se rend compte que, ô horreur ! il s'agit d'un fil électrique ! Elle se sent littéralement électrocutée, mais d'autre part elle pense tout naturellement que si elle lâche le fil, le courant l'emportera et qu'elle se noiera. Affreux dilemme !

Alors, elle entend une voix mystérieuse et impérative qui lui dit: « Détache-toi du fil, laisse-toi aller dans le courant; de l'autre côté, il y a de la lumière ! »

Elle regarde illico de l'autre côté et, effectivement, aperçoit des maisons agréablement éclairées. Après une ultime hésitation, malgré son angoisse, elle accepte de lâcher le fil. Et son rêve prend fin tout aussi abruptement qu'il avait débuté.

Le matin, son agent l'appelle pour lui annoncer une « mauvaise » nouvelle: le vendeur a accepté une offre d'un autre client. Elle a perdu la maison ! Ses sentiments sont partagés. Elle est déçue, certes, mais en même temps elle s'avoue que c'est davantage son mari qui l'aimait. Le matin qui suivit ce rêve étonnant, juste avant l'appel de son agent, elle se leva même avec une curieuse pensée dans la tête: *« Je ne veux pas vivre dans le tombeau de Napoléon ! »*

La maison fort cossue était toute de marbre, mais le marbre ne plaît pas à tout le monde : s'il enchantait son mari, il ne lui convenait que médiocrement, à elle. Ce qui explique sa demi-déception...

Une heure plus tard, en une synchronicité étonnante, elle aperçoit sur la première page d'un journal local, la publicité d'une maison à vendre qui lui fait tout de suite bonne impression. C'est en fait la maison de ses rêves !

En parlant à son agent, elle se rend alors compte, médusée, que la maison est située sur la même rue que la maison qu'elle vient de perdre, seulement de l'autre côté ! Elle a des frissons. Car son rêve de la nuit précédente vient de lui revenir, comme on dit communément, et elle se rappelle que la lumière y était... de l'autre côté de la rue !

Une simple visite lui confirme son intuition. Aussi son mari et elle font-ils une offre immédiatement acceptée et cette fois-ci la banque ne fait aucune difficulté, ne tergiverse pas, d'autant plus que, en un hasard supplémentaire, le prix de la maison de leurs rêves est le même que celui de la maison perdue !

Mon amie comprend alors que sa chance a été grande, mais moi je dis plutôt que la loi de la manifestation a agi de manière mystérieuse et infiniment précise dans son cas :

1. En apparence, ou si vous voulez, vu de l'extérieur, un employé de la banque, que mon amie trouvait détestable et incompétent (surprenant !) leur a fait, à son mari et à elle, mille et une difficultés

pour leur consentir le prêt : c'est sa lenteur, son « imbécile » méticulosité qui leur ont fait perdre la première maison.

2. À mes yeux, ce sont les hésitations intérieures de mon amie au sujet de la maison, le fait qu'elle ne l'aimait pas vraiment et la considérait comme « le tombeau de Napoléon » qui ont agi sur l'employé de la banque, exactement comme dans le cas cité plus haut où le directeur de la banque a accordé rapidement le prêt, littéralement pour s'en débarrasser, influencé à distance par l'homme qui savait utiliser la loi de la manifestation et un de ses adjuvants magiques…

3. Elle a trouvé la maison qui correspondait à ses goûts profonds, comme par miracle…

Amusant, non ? Et d'une précision hallucinante.

Son rêve aussi était d'une précision hallucinante !

Elle a bien fait d'en suivre le conseil, qui est d'une poésie et d'une clairvoyance que bien des écrivains pourraient lui envier, et moi le premier. Je le relis et le médite :

« Détache-toi du fil, laisse-toi aller dans le courant ; de l'autre côté, il y a de la lumière… »

Ne devrait-on pas plus aisément se « détacher du fil », faire preuve de renoncement, ne pas avoir peur de se laisser aller dans le merveilleux courant de la Vie, ne pas s'accrocher au fil électrique de nos fausses conceptions et de nos peurs innombrables, car la lumière est de l'autre côté de la rive, de même que la maison de nos rêves, qui représente aussi bien notre « vrai » métier, celui qui nous comblera durablement, qui représente aussi bien la vie et les compagnons de route qu'on mérite !

Mais voilà un autre passage de la main du Millionnaire.

« Comme disait le grand Henry Ford : "Si vous croyez que vous allez réussir, vous avez raison, si vous croyez que vous allez échouer, vous avez aussi raison." » Il en est de même pour l'ancienne loi de la manifestation. Cette loi que la mode contemporaine a revêtue de la jolie robe appelée loi de l'attraction est neutre, pour ainsi dire. Elle vous apporte de bonnes et de mauvaises choses, selon ce que vous lui demandez, selon la manière dont vous l'utilisez – ou ne l'utilisez pas, selon vos mérites anciens aussi et selon votre niveau d'être, je veux dire l'élévation de votre conscience, de vos vibrations. Selon votre patience, encore, et cela on l'oublie trop souvent.

« Que diriez-vous d'un jardinier qui, après avoir ensemencé sa terre, la remuerait, que dis-je y creuserait tous les jours pour estimer les progrès de ses plantes, compromettant par là même son succès ? Qu'il est idiot, que son impatience est ruineuse, n'est-ce pas ? Eh bien il en est de même pour le succès. Certaines choses prennent du temps. Et toute l'impatience du monde n'y changera rien. Ce qui ne veut pas dire qu'il faille procrastiner, remettre au lendemain. Au contraire, il faut agir tout de suite, puis attendre patiemment les résultats, dans une confiance tranquille, car on a en vue son succès final, que rien ne pourra altérer : celui qui doute constamment est comme le jardinier qui déterre le grain, il tue son projet avant même de lui laisser le temps de germer. »

Cette image me touche, certes, mais en même temps, je dois admettre qu'elle ne parvient pas à chasser de mon esprit une idée qui me hante: la mission pour le moins singulière que veut me confier le Millionnaire et qui consiste à publier *Le Secret de la rose* pour faire connaître au monde l'existence du prétendu dernier pape Pierre le Romain, qui vivrait caché à Rome sous sa discrète protection.

Je veux en savoir plus, tout de suite, et comme je fais souvent devant pareille fringale de connaissances, à défaut d'autre chose, je vais sur *Google*. Je tape simplement: Malachie, et je me rends compte qu'il y a des centaines et des centaines d'entrées à son sujet.

Dans la première que je choisis au hasard, j'y apprends des choses fort intéressantes. Entre autres, que c'est au cours d'un pèlerinage à Rome en 1140, que, pendant une nuit, l'évêque irlandais eut une longue vision au cours de laquelle il vit défiler les 112 papes à venir. En rédigeant ses prophéties, il accola une devise à chaque pape, pour en celer l'identité. Voici les cinq dernières : *Pastor et nauta,* pour Jean XXIII, *De medietatae lunae* pour Jean-Paul Ier, *De laboris solis*, pour Jean-Paul II, *De gloria olivae,* pour le pape actuel, et pour le dernier pape, aucune, sinon son nom latin : *Petrus Romanus* !

Il y avait aussi cette note saisissante, concernant le destin du dernier pape, qui confirmait de manière inquiétante ce que le Millionnaire m'avait déclaré à son sujet. On y disait en effet que l'avant-dernier pape, dont le règne serait bref, laisserait la place au dernier successeur de l'apôtre Pierre qui, s'il mettait les pieds à Rome, serait mis à mort !

J'eus des frissons, envahi par une peur soudaine, une peur nouvelle pour moi, car elle était pour ainsi dire surnaturelle.

Je pensai que c'était étrange tout de même que les écrits d'un évêque du 12e siècle puissent encore nous intéresser, au 21e siècle. Non seulement nous intéresser, mais nous donner des frissons. Bon d'accord, il était apparemment un homme singulier qui avait établi sa réputation en accomplissant de nombreuses guérisons miraculeuses et il était, dit-on, le meilleur ami de saint Bernard, le fondateur de l'ordre cistercien. Mais tout de même, après huit siècles...

J'eus une autre pensée inquiétante. Je me rappelai en effet, en un autre hasard troublant, une consultation que m'avait accordée, plusieurs années auparavant, un médium, Édith S. Elle m'avait dit, entre autres choses étonnantes, que, dans un lointain passé, j'avais vécu dans l'entourage immédiat de Jésus et que j'avais même joué à ses côtés un rôle capital. Cette supposée révélation m'avait fait sourire. Pourquoi les voyants et les médiums ne nous annoncent-ils pas, au lieu de nous dire que nous avons été César ou Cléopâtre, que nous avons plutôt été un banal cordonnier, ou même un voleur de grand chemin ? N'est-ce pas statistiquement plus vraisemblable ? Je sais, ça fait moins recette sans doute, car la vanité des gens est aussi grande que leur naïveté : autant la première est insatiable, autant l'autre est incorrigible !

Pourtant, rétrospectivement, la révélation du médium avait quelque chose de curieux. Car n'étais-je pas à Rome, sur le point de jouer un rôle dans le destin du dernier successeur de saint Pierre, l'apôtre choisi par Jésus ?

Je me rebiffai.

Non, ce rôle, je ne le jouerais pas, malgré la demande insistante du Millionnaire, malgré tout ce que je lui devais. C'était simplement trop dangereux et en plus ce n'était pas dans mes cordes.

Mais alors, j'eus un curieux mouvement de honte, une hésitation en tout cas. N'étais-je pas en train de faire exactement ce que faisait l'« homme qui ne voulait pas de voiture neuve», le héros d'une histoire que j'avais parfois racontée en conférence ? N'étais-je pas en train de *choker* lamentablement comme un vrai *loser* au seuil de ce qui serait peut-être la plus grande aventure de ma vie, une aventure qui me sortirait de ma léthargie et, même, me ferait peut-être franchir une étape nouvelle dans mon cheminement spirituel ?

Oui, étais-je sans le savoir l'homme que j'avais tant de fois dénoncé, l'homme qui ne voulait pas de voiture neuve ?

Ce ne serait pas si étonnant, en fait, car les défauts qu'on voit chez les autres, et qui nous agacent, ne sont-ce pas ceux qui sont d'abord en nous ?

L'homme qui ne « voulait» pas de voiture neuve

Cet homme, – appelons-le Antoine, d'ailleurs c'est son prénom ! – ne croyait en aucune des idées nouvelles que je tentais de partager avec lui, les ridiculisait à la moindre occasion, à telle enseigne que je cessai bientôt de lui en parler pour ne pas gâcher notre amitié, qui était réelle malgré nos divergences philosophiques.

Il désirait depuis plusieurs mois une nouvelle voiture, ou pour mieux dire une voiture neuve, ce qui bien entendu n'est pas toujours la même chose. Hélas, il n'avait pas les moyens de s'en offrir une, car ses affaires n'étaient guère reluisantes. La loi de la manifestation opéra à son insu et contre toute attente, comme par miracle, son désir se réalisa. En effet, son beau-père, qui avait fait un coup fumant en Bourse, décida de remercier le ciel de sa chance en offrant, à lui et à sa fille... une rutilante voiture neuve !

Seulement, c'était comme si mon ami *ne se voyait pas* au volant d'une voiture neuve, comme s'il ne la voulait pas vraiment, ou ne croyait pas la mériter, toutes choses déplorables aux effets dévastateurs comme il put bientôt s'en rendre compte.

En effet, à peine quelques jours après en être devenu l'« heureux» propriétaire, il se la fit voler, le soir, devant sa propre porte ! La compagnie d'assurance la remplaça bien entendu. Mais deux semaines plus tard, Antoine, conducteur pourtant irréprochable, eut un accident dont il sortit indemne, heureusement, mais qui se solda par une perte totale pour sa voiture neuve. L'assureur maugréa, certes, mais paya une fois de plus. Cette fois-ci cependant, ébranlé par ce double coup du sort, et sentant peut-être qu'il n'était pas destiné à avoir une voiture neuve, au lieu d'en prendre une nouvelle, mon ami utilisa l'argent que lui versa la compagnie d'assurance pour régler quelques dettes et s'acheter une voiture d'occasion... comme il avait l'habitude d'en conduire depuis des années !

N'étais-je pas comme lui, au fond ? Je ne voulais pas vraiment de « voiture neuve »...

Au cours d'une conversation avec mon ami j'appris qu'il admirait profondément son père qui, toute sa vie, avait été critique littéraire, méprisait profondément l'argent et n'avait jamais cru utile de conduire une voiture neuve, objet inutile du luxe bourgeois !

Tout s'éclairait !

Mais moi, pourquoi ne « voulais-je pas de voiture neuve », pourquoi hésitais-je à plonger dans la mission que me proposait le Millionnaire ?

On frappe à la porte de ma chambre. Je sursaute. Qui peut être à ma porte ? Je n'attends personne et je n'ai pas demandé qu'on me monte quelque chose à boire ou à manger...

Et si c'était cet ecclésiastique chauve qui m'avait retrouvé... Ou encore l'homme au chapeau noir...

On frappe de nouveau.

Pourquoi cette insistance ?

Alors, j'entends une clé qui tourne dans la serrure, et des gouttelettes de sueur au front, je vois la porte s'entrouvrir...

Je me lève d'un bond, m'empare de mon canif suisse, qui est resté sur la table, près du manuscrit.

Je dois afficher une drôle de mine, et bien sûr le couteau rouge que je brandis doit sembler inattendu au jeune homme en uniforme qui, avec un sourire timide, s'avance dans ma chambre.

« Monsieur Fisher, clé dans serrure... », m'explique-t-il dans un français approximatif et avec un fort accent.

C'est une clé qui pend au bout d'un porte-clés, une sorte de lourde poire métallique dont la taille décourage le client de la garder dans sa poche et lui rappelle commodément la consigne hôtelière : de la laisser à la réception.

Constatant ma méprise, je me sens stupide, dépose mon couteau suisse sur la table, m'avance, récupère ma clé tout en remerciant le jeune employé. Il ne se retire pas tout de suite, se contente de me sourire. Je lui souris à mon tour, il me retourne mon sourire, mais ne sort toujours pas. Je comprends enfin ce qu'il attend : un pourboire ! Je lui donne un billet de dix euros, et avec une maestria étonnante pour son âge, il paraît vraiment embarrassé, fouille dans ses poches en plissant les lèvres pour me faire comprendre qu'il n'a pas de monnaie sur lui.

Il a la subtilité de dire, pour montrer qu'il m'a reconnu : « J'ai beaucoup aimé *Il Milionario*. Je suis comme "*il*" jeune homme.

— Vous pouvez tout garder ! »

Là, son sourire s'épanouit tout à fait, non seulement parce qu'il vient de gagner dix euros mais parce que, de surcroît, il les a gagnés avec son intelligence ! Il me salue, s'incline et ressort.

Je pense alors, non sans une certaine contrariété, que, mine de rien, mon étourderie et mon « amabilité » viennent de me coûter près de quinze beaux (comme s'il y en avait de laids !) dollars canadiens ! Mais je m'étais dit, au bureau de change de l'aéroport, que je ne penserais pas en dollars, mais en euros parce que ça gâcherait inévitablement mon voyage. Bon, tenons-nous-en à notre résolution, et pensons que ce ne sont que dix euros que je viens de flamber. Même, consolons-nous avec le baume des grandes maximes philosophiques: ne dit-on pas que plus tu donnes plus tu reçois! Ouais…

Et puis je devrais surtout me consoler à la pensée que ce n'est ni le prêtre chauve ni l'homme au chapeau noir qui est venu frapper à la porte de ma chambre d'hôtel!

Mais remettons-nous au travail, car j'ai souvent pensé que c'était la meilleure excuse de l'homme pour pouvoir être seul: quoique là, c'est plutôt le meilleur remède pour oublier que je le suis!

Passage du Millionnaire: « La loi de la manifestation connaît des applications fort mystérieuses, du moins pour celui qui n'en perçoit pas toute la puissance. Elle peut aider à protéger à distance les êtres que l'on aime, et ce, d'une manière réelle, concrète. C'est un véritable talisman. »

La mère absente qui sauva son enfant des flammes

Suit une page (10) arrachée du livre *Les Aides invisibles*, de C.W. Leadbeater. L'auteur y raconte cette histoire d'une femme qui avait confié à une amie la garde de son petit garçon pour la nuit. Or, un drame épouvantable se produisit. Il y eut un incendie. Tous les occupants de la maison purent s'échapper des flammes, quand l'amie en question se rappela soudain que le gamin dont elle avait la garde avait été oublié dans sa chambrette, à l'étage. Le feu faisait rage, et il était insensé de tenter un sauvetage et pourtant un pompier intrépide décida de courir ce risque.

Muni d'instructions précises sur la localisation de la chambre, il défia le brasier et, contre toute attente, put sauver l'enfant. En retrouvant ses camarades médusés par son improbable exploit, il leur fit le récit suivant : (p.11) « Il trouva la chambre en flammes, la plus grande partie du plancher s'étant déjà effondrée. Seulement le feu décrivait une courbe qui allait vers la fenêtre en suivant les murs. Ce n'était ni naturel ni explicable, et il n'avait jamais rien vu de pareil. Le coin où couchait l'enfant était, par suite, resté intact. (...) En se dirigeant vers l'enfant (...), il vit ce qui ressemblait à un ange. »

Mais voilà à mon avis ce qui est le plus intéressant et est en fait la démonstration d'une autre des facettes de la loi de la manifestation.

« Cette histoire présente une autre particularité. La mère ne put dormir, cette même nuit (...) étant tourmentée par le sentiment persistant et impérieux qu'il arrivait quelque chose à son enfant; si bien qu'elle dut se lever et rester *assez longtemps en prières*. »

Le Millionnaire a écrit en marge : « Veiller et prier, selon la subtile prescription de J. »

Mais poursuivons la lecture de cette mystérieuse page :

« … rester assez longtemps en prières, demandant avec ferveur que le petit fût préservé du danger qu'elle sentait instinctivement planer sur lui. Ici l'intervention était donc, évidemment, ce qu'un chrétien appellerait l'exaucement d'une prière. Un théosophe (…) dirait que l'amour maternel, par l'intensité de son effusion, *avait constitué une force que l'un de nos aides invisibles avait pu employer* (souligné en rouge par le Millionnaire) pour sauver l'enfant d'une mort terrible. »

Autre page (18) détachée du même ouvrage. C'est la conclusion du terrible récit d'enfants qui se sont perdus en forêt :

« Les enfants racontèrent qu'à nuit close, ils avaient erré en pleurant dans les bois, et qu'ils avaient fini par se coucher pour dormir, sous un arbre. Ils furent réveillés, dirent-ils, par une belle dame tenant une lampe, qui les prit par la main et les ramena chez eux. Quand ils la questionnaient, elle souriait, mais sans jamais prononcer un seul mot. (…) Tous les assistants virent la lumière et constatèrent qu'elle éclairait les arbres et les haies sur lesquels elle tombait, absolument comme l'aurait fait une lumière ordinaire, mais *la forme de la dame ne fut visible que pour les enfants.* »

En rouge dans le texte, et en marge, des mots griffonnés par le Millionnaire : « Pour comprendre, accepter et utiliser pleinement la loi de la manifestation, il faut être un philosophe véritable, ou mieux encore un enfant : car seul l'enfant peut voir la belle Dame, car seul l'enfant peut se laisser guider par elle hors de la forêt du doute et de la pauvreté. »

Je médite un instant sur cette image si… belle, et je me dis que c'est vrai, il faut tout voir avec les yeux d'un enfant, sinon on ne voit rien ou ce qui n'est guère mieux, on ne voit que ce que tout le monde voit, qui est vulgaire, au sens premier du mot, du latin *vulgus*, du peuple donc, et ainsi, avec tout le respect démocratique possible, sans valeur, car pour réussir, c'est connu, il faut faire autre chose que ce que font les autres parce que la plupart des gens ne réussissent pas.

Je poursuis ma lecture du manuscrit. La nouvelle page porte comme chapeau, et de la main du Millionnaire, le simple mot : CONCLUSION.

C'est la page 26 de *La Clé de la maîtrise*, de Charles F. Haanel, cet ouvrage qui, de l'aveu même de Rhonda Byrne, a été à l'origine du phénoménal succès *Le Secret* :

« La loi de l'attraction nous apporte non pas les choses que nous aimerions avoir, celles que nous souhaitons obtenir ou les choses que quelqu'un d'autre possède, mais elle nous apporte "ce qui est nôtre", les choses que nous avons créées par le flot de nos pensées, que ce soit consciemment ou pas. Malheureusement, la grande majorité d'entre nous crée ces choses inconsciemment. Si n'importe qui d'entre nous se construisait une maison, combien il serait précautionneux dans l'élaboration de ses plans, combien il en étudierait les moindres détails, combien il serait minutieux son examen des matériaux, combien son choix ne s'arrêterait que sur les meilleurs.

« Pourtant, comme nous sommes insouciants quand vient le temps d'élever notre *maison mentale, qui est infiniment plus importante que n'importe quelle maison physique*, car tout ce qui entre dans nos vies dépend de la nature des matériaux que nous avons retenus pour la construction de notre maison mentale.»

J'ai relu trois fois cette page si belle.

Non seulement elle est belle, mais comme une femme idéale qui allierait beauté et charme... elle est aussi pleine de sagesse.

La maison mentale que j'ai construite pour D., ne l'ai-je pas bâtie inconsidérément, n'ai-je pas trop souvent négligé d'y mettre les meilleurs matériaux, et au premier chef le meilleur de moi-même que j'ai trop souvent réservé à mes romans, par déformation professionnelle ?

Je vais à ma fenêtre, et je regarde dans la rue, j'aperçois la modeste fontaine Borghese, qui a donné son nom à l'hôtel où je suis descendu.

À quelques mètres, se trouve une série de charmantes boutiques de maroquinerie, qui sont autant d'ateliers où les artisans préparent les collections qu'ils offrent en exclusivité, et qui comprennent toute la déclinaison d'articles de cuir imaginables, des souliers aux sacs à main en passant par les ceintures et les serviettes. J'y ai même vu un hallucinant sac de golf, véritable objet d'art dans la composition duquel entraient au moins cinq cuirs différents : on peut l'acquérir pour la modique somme de 3000 euros ! Mon étonnement admiratif passé, je me suis demandé de quoi un joueur aurait l'air, avec pareil sac au tertre de départ, s'il ratait son coup inaugural ! Sûrement d'un parvenu qui veut jeter de la poudre aux yeux et rate son effet !

J'aperçois une jolie Romaine qui marche d'un pas vif, malgré les sacs multicolores dont ses bras graciles sont chargés. Plus jeune, j'aurais peut-être eu la tentation de la suivre dans les rues de Rome, de l'aborder cavalièrement et de lui offrir un café, car l'audace plaît en général aux femmes ; elles la confondent avec le coup de foudre, ce qui m'a jadis valu de beaux succès !

Mais aujourd'hui, je ne suis pas de cette humeur. Je ne suis plus de cette humeur depuis des années en fait et chaque fois que j'ai eu des velléités de séduction, une vision est revenue invariablement me rappeler à l'ordre amoureux : celle de D., le visage rouge, le front en sueur, qui hurlait pendant qu'elle accouchait de Julia et que je lui tenais la main en priant que tout aille bien !

D...

Que fait-elle en ce moment ?

Pour tromper la nostalgie qui monte en moi, je suis retourné à ma table de travail, et j'ai travaillé pendant des heures à ce manuscrit.

Le soir, en vidant les poches de mon pantalon avant de me coucher, j'ai retrouvé deux billets de hockey périmés : quelques jours plus tôt, j'avais emmené Julia voir son premier match des Canadiens de Montréal. Sur un billet, le sien, elle avait écrit, de sa jolie écriture qui ressemble à du dessin : *Gagné, 6 à 3*.

Il y a tant de naïveté, tant d'innocence dans cette simple annotation que je n'ai pas pu retenir mes larmes.

Je les ai essuyées avec son dodo parfumé et je me suis endormi, épuisé.

— 6 —
La loi de la manifestation et l'amour

« La loi de la manifestation s'applique tout aussi bien aux amours d'un être qu'à ses affaires. Toutes ses règles valent. Mais quelqu'un peut en parler bien mieux que moi, car j'ai peu d'expérience en ce domaine, je n'ai aimé qu'une seule femme, la mienne, et elle est morte jeune ; je n'ai jamais pu ni même pensé la remplacer. Toutes les autres femmes n'auraient-elles pas été des étrangères, la femme d'un autre, si je puis dire ? Oui, qui dans mon cœur aurait pu avec succès succéder à la perfection ? Il me restait mes affaires, mes roses, et aussi la philosophie qui est devenue le véritable amour de ma vie, car elle peut faire le plus grand bien aux hommes surtout en notre époque agitée et sombre. Oui, quelqu'un peut mieux que moi parler de l'amour, c'est mon amie Florence Scovel Shinn : son opuscule *Le Jeu de la vie* devrait être le petit livre rouge de tous les amoureux du monde. »

Nouvelle émotion. Car voilà un (autre) hasard bien singulier. J'adore moi aussi ce petit livre de théosophie moderne que j'ai bien dû lire vingt fois, pas parce qu'il est difficile à comprendre, mais simplement parce qu'il me fait du bien. Je sais, beaucoup de gens lui reprochent sa simplicité outrancière et sa pensée magique, mais n'est-ce pas de la pure bêtise de mettre en doute un remède à partir du moment où il nous soulage ? Et lorsqu'on a besoin d'un miracle dans sa vie, peut-on bouder un livre qui contient un peu de magie ? C'est pour cette raison que je dois bien en avoir trois ou quatre exemplaires, car parfois s'empare de moi l'envie pressante d'en lire une page au hasard, et comme mes livres ne sont pas classés par ordre d'auteur dans ma bibliothèque de 3000 titres, je n'ai pas la patience de le chercher ; j'en achète un autre : chacun ses vices !

Le bref texte du Millionnaire sur l'amour est suivi, sans surprise, d'une page justement extirpée au petit livre rouge *Le Jeu de la vie*. Je la résume car il faut que j'occupe mon esprit. Ça marche dans mon cas, car malgré les sommets vertigineux de son quotient intellectuel, on ne peut penser à deux choses en même temps, surtout quand on est un homme. C'est en tout cas ce que prétend D. qui m'a souvent reproché de ne pas avoir sorti les vidanges, même si je suis passé cinq fois à côté de la poubelle de la cuisine. Je lui explique que j'étais absorbé à changer les ampoules qu'elle m'avait demandé de changer ou à concocter un bœuf bourguignon, ma seule spécialité ! Elle me fait le sempiternel reproche (que je ne peux penser à deux choses à la fois, ou en d'autres mots, que je n'ai qu'une chose dans la tête !) lorsqu'on a été séparés quelques jours, qu'elle veut me raconter son voyage et que moi je voudrais plutôt… vous savez quoi !

Bon, revenons au *Jeu de la vie,* à la page extraite cavalièrement du livre et que je résume.

Florence Scovel Shinn, qui traversa dans sa propre vie un douloureux divorce, raconte les déboires d'une femme que son mari, dont elle était toujours follement éprise, avait abandonnée.

La femme qui préparait la table de son ex-mari

Un malentendu était soi-disant à l'origine de leur séparation. Elle avait fait de nombreuses tentatives de réconciliation, mais il la repoussait tout le temps. À un moment donné, il refusa même tout contact avec elle. Toute autre femme qu'elle aurait sans doute sombré dans le désespoir le plus noir, elle aurait peut-être songé au suicide. Mais elle connaissait la loi de la manifestation même si vraisemblablement elle lui donnait un autre nom. Comme disait le poète, une rose reste toujours une rose, peu importe le nom qu'on lui donne.

Consciente de la loi spirituelle, expliqua Florence, elle considéra que cette séparation était seulement apparente. Elle la nia purement et simplement. N'est-ce pas ce que je devrais faire avec D. ? Nier que nous avons un problème, que nous traversons un passage à vide ?

Cette femme éplorée mais déterminée alla plus loin.

Chaque jour de manière à créer de toutes pièces la réalité conjugale qu'elle désirait ardemment, de manière à imprimer dans l'invisible les images qu'elle souhaitait voir se manifester dans sa vie, cette femme dressa la table et y mit (un peu comme une amoureuse imaginaire !) le couvert de son mari absent.

D'aucuns qui ne connaissent pas la loi de la manifestation l'auraient sans doute prise pour une folle, mais il y avait une sagesse subtile dans sa mise en scène quotidienne.

Pendant un an, patiemment, comme la légendaire Pénélope attendant le retour d'Ulysse, elle se livra à cette véritable cérémonie magique, et un jour elle vit son mari rentrer et s'asseoir à la table préparée pour lui !

Ce traitement me fait penser à l'astucieuse prescription de Fletcher Peacock, qui en a fait le titre de son brillant ouvrage : *Arrosez les fleurs, pas les mauvaises herbes !* Eh oui, voilà un homme qui semble connaître comme le fond de sa poche la loi de la manifestation !

Au lieu de ressasser sans fin ses problèmes, ses angoisses, penser à ses projets, à ses rêves, se concentrer sur les belles choses de sa vie et en trouver, si on n'a pas la sagacité de les voir ; car même dans les vies les plus difficiles, il y a de belles choses, il y a des fleurs : si on veut qu'elles croissent, qu'elles s'épanouissent, il faut les arroser !

Suit une autre page extraite du même livre. Elle contient une anecdote édifiante que voici.

La femme qui fit revenir l'être aimé

Une jeune femme abandonnée était dévastée, d'autant que l'homme qui la quittait partait pour une autre femme et la narguait en lui disant que jamais il n'avait eu l'intention de l'épouser. Non seulement était-elle triste, mais elle était aussi dévorée par le démon de la jalousie et de la colère. Tout ce qu'elle souhaitait, c'est que cet homme cruel souffre, qu'il paie pour tout le mal qu'il lui avait fait. « Comment a-t-il pu me quitter, se plaignait-elle, moi qui l'aimais tant ? »

Florence Scovel Shinn eut la sagesse de lui répliquer qu'elle ne l'aimait pas, mais au contraire qu'elle le haïssait. En effet, ne doit-on pas souhaiter du bien, du bonheur à ceux que l'on aime ? « Saisissez cette occasion de vous perfectionner, lui suggéra la subtile auteure, offrez-lui un amour parfait, exempt d'égoïsme, qui ne demande rien en retour, ne le critiquez pas, ne le condamnez pas (...) Lorsque sa cruauté ne vous troublera plus, il cessera d'être cruel, car vous vous *attirez* ceci par vos propres émotions. »

La femme désespérée réfléchit et, petit à petit, son attitude se modifia. L'harmonie, la paix se rétablirent en elle, et elle parvint non seulement à pardonner à l'homme qui l'avait quittée, mais à lui souhaiter tout le bien du monde. Florence Scovel Shinn l'en félicita et décrit sa métamorphose en ces mots profonds. (p. 85) « Voilà le véritable amour, et lorsque vous serez devenu un *cercle complet*, et que cette situation ne vous troublera plus, vous obtiendrez son amour, ou bien vous *attirerez son équivalent*. »

Mots doublement soulignés en rouge par le Millionnaire.

Attirer l'équivalent d'un être, parce que si je comprends bien, parfois le destin d'un être se sépare du nôtre et toutes les pensées qu'on peut nourrir à son endroit, les tentatives qu'on multipliera n'y feront rien, sinon nous faire souffrir ; à moins bien entendu que ce soit des pensées d'amour véritable, des pensées nobles et dépourvues de tout égoïsme. Ainsi, on ne perd jamais, et on ne souffre plus ou alors beaucoup moins. Je sais que chaque être est unique, qu'une personne jamais n'en remplacera une autre. Mais elle peut être son équivalent, elle peut surtout être la personne qui désormais convient à notre évolution spirituelle, car le but de tout amour, de tout mariage, au fond est spirituel.

Quelques semaines plus tard, Florence recevait une lettre extatique de cette amie qui lui annonçait son mariage.

Son amie lui expliqua cet événement singulier : « Oh ! s'exclama-t-elle, *par un miracle* un jour je m'aperçus en m'éveillant, que toute peine m'avait

quittée. Le même soir, je le rencontrai, et il me demanda de l'épouser. Nous nous sommes mariés dans la huitaine et je n'ai jamais vu un homme plus épris. »

Je médite sur ces pages, et me demande comment je pourrais moi aussi devenir un *cercle complet*, selon la jolie et profonde expression de Florence.

Peut-être alors les choses se replaceraient-elles avec D…

Le téléphone sonne. Ce doit être elle, ce qui n'est pas étonnant car je pense justement à elle, et cent fois, mille fois, des millions de fois en vérité depuis que nous sommes ensemble, elle m'a téléphoné au moment où je pensais à elle, elle m'a téléphoné pour me demander où j'étais alors que je me garais devant la maison !

Elle a dû trouver le numéro de téléphone sur Internet comme je pensais.

Je décroche.

« Allô ? »

Pas de réponse.

« Allô ? » dis-je d'une voix plus forte.

À l'autre bout de la ligne, on raccroche sans rien dire.

Mon imagination s'emballe.

N'est-ce pas l'homme au chapeau noir, ou encore le prêtre chauve qui vérifie si je suis dans ma chambre ou veut sadiquement me faire comprendre qu'il sait à quel hôtel je suis descendu ?

Comment savoir ?

— 7 —
La loi de la manifestation et les « accidents »

Je me lève de bon matin, j'engouffre goulûment deux croissants chauds et un immense bol de café au lait, obéissant complaisamment à l'énorme et sympathique serveuse qui me répète: «*Manga, manga!*», comme si j'étais trop maigre ou qu'elle me trouvait pâle.

Puis tout de suite, je remonte à ma chambre et me remets au travail, résistant non sans difficulté à l'envie d'une promenade digestive dans les rues lumineuses de Rome. Ravi, je me passe la réflexion que la pédagogie du Millionnaire a fait merveille sur moi et que, en fait, le livre s'écrit pour ainsi dire tout seul, comme on dit dans le jargon du métier.

Pourquoi l'as-tu fait?

Le père de la psychanalyse, Sigmund Freud, a abondamment parlé de la signification des accidents en rapport avec la vie psychique. À ses yeux, il est évident que les accidents sont un exemple indubitable de la loi de la manifestation, même s'il l'appelle bien entendu différemment. Pour lui, l'intérieur est l'inconscient avec tous ses secrets et ses mystères, et l'extérieur est la vie « ordinaire » du patient, les événements qui la constituent et qui sont visibles. On retrouve ses meilleures pages à ce sujet dans *Psychopathologie de la vie quotidienne*.

Le Millionnaire en a prélevé la page 227. « Lorsqu'un membre de ma famille se plaint de s'être mordu la langue, écrasé un doigt, etc., je ne manque jamais de lui demander : « Pourquoi l'as-tu fait ? » Je me suis moi-même écrasé un pouce, un jour, où l'un de mes jeunes patients m'a fait part, au cours de la consultation, de son intention (...) d'épouser ma fille aînée. »

Et un peu plus loin, toujours sous la plume de Freud :

« Il existe, à côté du suicide conscient et intentionnel, un suicide mi-intentionnel, provoqué par une intention inconsciente, qui sait utiliser *habilement* une menace contre la vie et se présenter sous le *masque* d'un malheur accidentel. »

À ceux qui ont réussi ce suicide déguisé en accident, on pourrait demander : « Pourquoi l'as-tu fait ? », mais on ne le peut pas, bien sûr, puisqu'ils sont morts.

Les proches parfois le savent, ou le devinent, mais ne le disent pas car ces situations sont entourées du secret et de la honte. Un accident est moins honteux, et moins susceptible de générer de la culpabilité chez les proches, qu'un suicide.

Ne devrait-on pas toujours se poser cette question, lorsque nous arrive un accident : une collision en voiture, une chute, une coupure à un doigt ?

Pourquoi l'as-tu fait ?

Pourquoi l'as-tu attiré dans ta vie ?

Pourquoi lui as-tu permis de se manifester ?

De quel conflit intérieur, de quelle colère sourde contre toi-même, de quelle culpabilité est-ce le signe extérieur ?

Mais un autre exemple me vient à l'esprit, et je m'empresse de le noter, heureux de voir les pages se noircir à une vitesse que je ne connaissais plus depuis des mois.

La femme qui se coupa le doigt plutôt que de faire un pique-nique

Une lectrice me rapporta par courriel l'incident suivant. Par un beau dimanche matin qu'elle souhaitait occuper à la lecture (d'un de mes livres, je suppose orgueilleusement !), elle ne voulait pas aller faire un pique-nique avec sa famille. Or, son mari insistait.

Elle se résolut donc, contre son gré, à préparer le goûter, mais elle fut quelques secondes plus tard victime d'un « accident ». En effet, en tranchant les légumes elle se coupa à un doigt de manière si sérieuse, qu'on dut la conduire d'urgence à l'hôpital et lui faire sept points de suture ! Le pique-nique bien entendu fut annulé, mais à quel prix !

Pas besoin d'être psychanalyste pour voir ce qui s'était passé dans l'esprit de cette lectrice. C'est comme si elle s'était dit: *« Oui, bon, d'accord, je vais aller faire ce pique-nique même si je n'en ai pas envie et que c'est une idée stupide… Et pour vous prouver que ce n'était pas une bonne idée, pour vous rendre coupable de m'avoir forcé la main, je vais justement me couper à la main, et vous allez vous sentir coupable, vous allez regretter votre insistance et puis de toute manière je vais gagner. Non seulement je n'irai pas à ce pique-nique, mais personne d'autre non plus ne s'y rendra ! »*

Lorsqu'il y a de graves conflits entre nos désirs et nos actes, souvent la vie, le « hasard » font triompher le désir, mais la plupart du temps par un accident, hélas.

Cette lectrice aurait dû cultiver à la fois une plus grande clarté intérieure et une plus grande cohérence entre ses désirs et ses actes.

Elle aurait dû faire l'un ou l'autre des deux choix suivants :

1. ne pas aller au pique-nique, en expliquant sa décision, « tenir son bout », comme on dit, ce qui, je sais, n'est pas toujours facile dans la vie conjugale ou familiale, car on veut faire plaisir à l'autre.

2. y aller mais en prenant soin au préalable de se convaincre que l'expédition sera amusante, en d'autres mots y aller de bon cœur, et non pas à reculons, car alors on s'expose à un « accident » qui peut être grave.

Cet exemple me rappelle un autre exemple de type alimentaire, qui, celui-là, implique D.

Les fèves au lard perdues de D.

Elle avait patiemment préparé des fèves au lard dans ces gros plats de grès qui leur confèrent ce goût inimitable. Or, en le sortant du four, elle laissa tomber le pot qui se fracassa en mille miettes sur le plancher, répandant son contenu bouillant ! Adieu, repas succulent !

Contre toute attente, D. ne poussa pas les hauts cris, ne jura pas, comme si, mystérieusement, elle n'était pas vraiment déçue ou surprise de cette maladresse.

Quelle pouvait être l'explication de ce surprenant silence, de cette inhabituelle équanimité, surtout de la part de D., qui ratait rarement une occasion de s'exprimer, de dire ce qu'elle pensait, souvent haut et fort et… en anglais ! Ce qui était sans doute sage de sa part !

J'utilisais la même astuce, je me querellais en français et si j'avais employé un mot qui avait choqué D., je recourais aussitôt au *Petit Robert*, mon meilleur complice, car il a l'amabilité de toujours proposer plusieurs définitions d'un même mot, et parfois de fort distinctes, si bien qu'à la fin l'autre s'embrouille, vous donne raison et vous évitez *ipso facto* de devoir passer la nuit sur le canapé du salon ! Conclusion et conseil aux couples dans ma situation : disputez-vous chacun dans votre langue, vous trouverez plus facilement les mots et après, vous pourrez arguer que ce n'est pas ce que vous vouliez dire !

Mais revenons aux fèves de D. dont je ne pus ce jour-là apprécier que le fumet. Comment avait-elle pu les laisser échapper, d'autant plus qu'elle portait des gants de cuisson ? Bien sûr, ils n'étaient plus neufs et ils avaient perdu une partie de leur vertu protectrice. Mais D. savait qu'il fallait les utiliser précautionneusement, ne pas traîner avant de poser l'objet brûlant... Ce qui m'intriguait surtout, c'était son indifférence devant ce désastre culinaire. Je ne tardai pas à comprendre que l'accident n'était pas accidentel et avait une autre origine.

Je ne le lui reprochai pas du reste car cette découverte m'avait médusé. Voilà la chose, narrée le plus succinctement possible : nous étions brouillés depuis le matin et elle avait probablement pensé préparer ces fèves pour amorcer notre réconciliation. (Par exemple une tasse de café, un verre de rouge, apporté inopinément à l'autre, par elle ou par moi, était souvent notre manière de nous dire sans parler que la brouille était terminée ! Il y avait aussi, tout aussi efficace et souvent plus, ce que D. appelait le *make-up sex* : ça ne consiste pas pour la femme à faire l'amour avec un supplément de maquillage, de make-up, mais à faire l'amour pour se réconcilier. Ça marche parfois, mais parfois la paix revient juste dix-huit minutes, par exemple, si c'est ça que ça dure, votre gymnastique !

Oui, voilà ce qui s'était mystérieusement passé entre nous, dans cette cuisine : D. s'apprêtait à me servir les fèves préparées amoureusement, et moi, pas encore prêt à me réconcilier, encore en « Tâ », comme on dit en québécois, (les Égyptiens disent « Râ », chacun ses dieux !), j'avais aussitôt pensé ou à peu près : *« Je me fous de tes fèves au lard ! Tu peux te les mettre où je pense ! »*

Et je comprenais que ma pensée s'était manifestée en elle comme en un parfait miroir, et que les fèves, elle les avait justement mises – et automatiquement ! – où je pensais, c'est-à-dire sur le plancher de la cuisine !

Normal, au fond, car deux êtres qui s'aiment (même s'ils se disputent parfois, de préférence chacun dans leur langue !) sont comme des vases communicants et, le miel autant que le fiel vont magiquement d'une âme à l'autre à la vitesse de la lumière amoureuse, qui est plus rapide et plus intelligente que celle d'Einstein !

Pas étonnant d'ailleurs, car D., intuitive comme la plupart des femmes – et peut-être un peu plus que la plupart des femmes ! – m'a souvent répété qu'elle ne faisait que *réagir* à ce que je pensais et éprouvais à son égard, et je crois qu'elle a à ce chapitre de véritables dons de sorcière… bien-aimée !

Je comprenais si bien ce qui venait de se passer véritablement, malgré les apparences accidentelles de l'incident, je me sentais si ridicule et si coupable, que lorsque D. a dit, et c'était presque un ordre, en tout cas ça ne ressemblait pas à une question : « C'est toi qui nettoies tout… », je n'ai pas osé protester, je me suis mis à quatre pattes et je me suis exécuté !

En accomplissant cette glorieuse tâche, je me suis dit que de même qu'on dit que personne n'est un grand homme pour son valet, sans doute aucun romancier n'est un grand romancier pour sa femme. Surtout lorsque précisément il n'en est pas un, mais juste un voyageur un peu âgé qui tente de raconter à ceux qui viendront après lui ce qu'il a vu, vécu, aimé et pensé, pour les aider dans leur voyage.

Page suivante du manuscrit, voilà les lignes écrites de la main du Millionnaire.

« " Ce qui est en haut est comme ce qui est en bas" du profond Hermès Trismégiste (« trois fois grand ») veut aussi dire : "Ce qui est dans l'esprit se reflète dans le corps." La chose n'est pas toujours évidente, il est vrai, car certaines maladies viennent de loin, de très loin, de vies anciennes… Mais occupons-nous de ce que nous pouvons, et préparons-nous une santé éblouissante, une jeunesse prolongée, une beauté qui défie le temps en nous occupant du grand médecin intérieur: notre esprit. Que vos émotions, que vos pensées soient votre seul remède, le reste n'est que littérature et potions de charlatans ! Notre corps est le temple de Dieu, ce qui le rend malade, ce qui le rend laid, ce qui le fait vieillir prématurément et le tue, c'est tout ce qui s'éloigne de l'Harmonie et de l'Amour. »

Suit une page de H. Spencer Lewis, extraite de *Principes rosicruciens pour le foyer et les affaires* (p.142).

L'homme aux furoncles

« Je trouve que c'est perdre son temps (…) d'aider une personne qui est malade ou qui a des ennuis dans ses affaires, si cette personne continue de faire, de croire, ou de penser les choses fausses, erronées ou discordantes qui sont les causes réelles de ses ennuis. »

Un homme vint trouver Lewis. Son visage était repoussant, gonflé de deux gros furoncles sur chaque joue, dont aucun de ses médecins n'avait pu le débarrasser depuis deux ans. Il en avait aussi sur la nuque et le cuir chevelu, et portait en outre de nombreuses cicatrices, vestiges des opérations antérieures, toutes vaines.

Pendant l'entretien qu'il eut avec lui, Lewis observa que l'homme aux furoncles, qui venait pourtant pour obtenir son aide, avait un caractère exécrable, s'impatientait facilement, se montrait cassant. En plus de cela, matérialiste achevé (dans le sens philosophique du terme), il considérait les idées philosophiques et spirituelles de Lewis comme autant de balivernes. Sympathique.

Pour se faire une meilleure idée de la situation, et des origines de sa répugnante affection, Spencer se livra à une petite enquête auprès de son entourage et ne tarda pas à découvrir que l'homme était un véritable tyran. Il terrorisait littéralement sa famille et ceux qui travaillaient sous ses ordres à l'usine.

De plus, il entrait au moins une fois par jour dans une colère épouvantable, souvent pour des riens, comme c'est presque toujours le cas, si on y pense, et il allait même jusqu'à donner des coups de pied, des coups de poing sur des objets – pas sur les gens, rassurez-vous – finissant parfois par se blesser stupidement.

Lewis conclut philosophiquement (p.144) : « Entre le lever et le coucher du soleil, chaque jour, il créait plus de véritable poison dans son sang qu'on en trouverait dans une armée de soldats qui combattent en première ligne, avec toute leur haine pour l'ennemi. »

À la suggestion de Lewis, l'homme fut muté dans un laboratoire sur une ferme expérimentale ; là où il n'y avait pour ainsi dire personne avec qui il pouvait se disputer, car tous ses collègues avaient été prévenus de son état. Deux mois plus tard, ses furoncles avaient considérablement diminué. Bientôt, il put revenir à New York… en excellente santé ! Mais de retour dans son même cadre de travail, il reprit ses mauvaises habitudes, ses colères, et six mois plus tard, il était à nouveau couvert de furoncles !

Lewis conclut de manière magnifique (p. 146) : « C'est là un cas extrême, certes, mais si cet homme créait une once de poison chaque jour, dans son sang, il y a des millions d'hommes et de femmes qui fabriquent un grain de poison d'une sorte ou d'une autre dans leur corps chaque semaine, et il n'y a pas besoin d'une grande quantité de ce poison mental et spirituel ou de poison psychique, pour que se déclenchent beaucoup de maladies mentales et physiques, aussi bien que des difficultés dans les affaires et les problèmes personnels. J'ai connu des personnes dont la santé était constamment médiocre parce qu'elles entretenaient, *dans le secret de leur être* (triplement souligné en rouge par le Millionnaire), une rancune durable contre une autre personne.(…) J'ai connu des gens qui ont souffert de migraines, de découragement, de formes légères de vertige uniquement parce qu'ils avaient une attitude d'envie, d'antipathie, de méfiance, de jalousie ou quelque autre pensée ou sentiment peu aimable, à l'égard de quelques personnes, de groupes de personnes ou de leur état. »

Je méditai ce passage, car il me parlait, comme s'il avait été écrit pour moi, à ce moment précis de ma vie. Et je me demandai si mon début de dépression, si ma fatigue chronique n'étaient pas dus à mon ambition excessive, ou plutôt au travail de forcené auquel elle me condamnait. Peut-être y avait-il en moi trop d'impatience, peut-être y avait-il en moi plus de jalousie que je ne voulais bien me l'avouer : peu importe le succès d'un auteur, il trouve presque toujours qu'il pourrait en avoir plus, ses collègues moins !

Et ce double poison me minait secrètement…

J'ai une période de découragement.

Je pense à D., à Juju.

Juju…

Que fait-elle en cet instant ?

Me revient à l'esprit une tranche de vie avec elle… Je lui ai acheté un livre qui contient plus de 500 histoires pour les enfants. Nous le gardons dans la voiture, et elle m'en lit pendant que je conduis.

À un moment, elle tombe sur une histoire de juge.

Elle lit lentement : « Vous avez été re-con-nu... »

Avant qu'elle ne dise le mot suivant, je tente : « coupable ».

Elle se tourne vers moi, me regarde, étonnée, comme si j'avais deviné par magie le mot ou avait lu dans sa pensée...

« Comment tu le savais ? »

Je joue le jeu.

« Je ne sais pas, comme ça, une intuition...

— Une intuition ? C'est quoi, ça, papa ?

— C'est...

— C'est pas grave, je continue à lire... »

Elle reprend illico sa lecture :

« Vous avez été reconnu coupable... (là, une pause, et un froncement perplexe de ses beaux sourcils car le mot suivant est inhabituel pour une enfant de sept ans) d'ou-tra-ge au... »

Je la devance à nouveau :

« ... tribunal ! »

Là son étonnement ne connaît pas de borne. C'est trop.

« Mais papa, là, ça ne peut pas être de l'intuition, est-ce que tu l'as déjà lue, la blague ?

— Ben non...

— Parce que tu n'es pas censé les lire. On a dit que c'était juste moi qui les lisais ! »

Un peu plus loin, elle lit :

« Avez-vous... »

Et je complète, avec une justesse qui la déroute encore une fois :

« ... quelque chose à ajouter ? »

Là, elle ne me croit plus. Furieuse, elle referme le livre et le jette par-dessus son épaule sur la banquette arrière, persuadée que je me paie sa tête, que je lui mens, que je n'ai pas respecté notre pacte, que j'ai triché et tout lu avant elle.

Je la regarde et trouve adorable sa lippe boudeuse, ses bras croisés sur sa poitrine, mais pas assez pour ne pas lui expliquer ce que vous avez compris, bien sûr, que je ne suis pas devin, que je n'ai pas rompu ma promesse et que si je sais à l'avance ce qu'elle lira, c'est simplement qu'il s'agit de formules consacrées. Il faut bien entendu que je lui explique ce qu'est une formule consacrée, mais alors elle sourit, récupère son livre d'histoires et reprend sa lecture…

Et alors, je pense: *« Comme ce serait pratique s'il y avait ainsi des formules consacrées de l'existence, si on pouvait deviner à l'avance les mots qui suivent dans le livre de notre vie ! »*

Surtout dans le livre de ma vie avec D.

D...

Comme elle me manque en ce moment !

Elle me manque plus que…

Que de pouvoir jouer ma première partie de golf après un trop long hiver…

D'accord, je sais c'est une comparaison de gars, mais j'en suis un, après tout…

Que de pouvoir finir un polar palpitant, quand il ne me reste que trois pages à lire et qu'on doit partir pour aller à un cocktail mortel, et que moi je voudrais plutôt savoir qui a menti, qui a tué…

Que de pouvoir… mais vous avez compris, ayez à votre tour un peu de génie ou mieux encore puisez dans votre vie : c'est encore là (avis aux romanciers en herbe qui en font trop) qu'on trouve les meilleures histoires...

Je pense (ça m'arrive, je m'en confesse) : pourtant, il n'y a que deux jours que je suis parti...

Mais une heure, dix minutes même ça peut être si long, si long, quand on est loin, et qu'on n'y peut rien, quand on attend, et qu'on n'y peut rien non plus. Vous le savez, ça, si vous avez attendu une femme, un homme en retard pour un second rendez-vous d'amour, surtout si vous n'êtes pas sûr d'avoir plu, la fois d'avant... Vous le savez si vous avez attendu une seule fois votre enfant qui n'arrive pas après l'école et si l'autobus jaune ne s'arrêtait pas, comme d'habitude, vous feriez quoi : en une minute vous deviendrez fou, et pour toujours, vous le savez... !

Il faut que j'entende la voix de D., que je lui parle, que je prenne des nouvelles d'elle, et de Julia...

Je lui téléphone, tombe sur le répondeur, mais au moins j'entends sa voix, car c'est elle qui a enregistré le message familial, et cette fois-ci, je laisse le numéro de téléphone. Je raccroche déçu mais à peine trente secondes plus tard, le téléphone sonne. Je triomphe. C'est D. qui me rappelle !

Je suis si impatient de répondre que je laisse tomber par mégarde le combiné, le récupère comme un héroïnomane sa seringue, et hurle presque :

« D. ? »

Silence au bout de la ligne, puis la réception m'informe platement qu'on vient de déposer un message à mon intention. Je ne comprends pas. Comment D. a-t-elle pu faire déposer un message, d'autant plus qu'elle ne connaît pas l'adresse de l'hôtel ? Ce que je suis bête ! Elle a le numéro de téléphone du Fontana Borghese, puisque je viens de le lui transmettre et elle l'a peut-être utilisé pour laisser un message terrible à la réception, pour dire que…

Qu'elle a réfléchi depuis deux jours, et peut-être depuis deux mois, et peut-être depuis deux ans !

Oui, elle a réfléchi et est arrivée à une conclusion, à un verdict, et voilà ma condamnation : « C'est devenu impossible notre couple, la valse à deux est terminée, le vase est cassé, si tu veux savoir il est même en mille miettes, il faut être lucides, mon pauvre amour, il n'y a pas de *crazy glue* pour ça, sinon ce serait se mentir à soi-même, jouer la comédie, comme tant d'autres le font, mais pas nous, il faut juste avaler sa pilule, se conduire en adultes, ça arrive à tout le monde de toute manière, on est juste une statistique ; et puis comme tu n'as jamais voulu te marier, c'est peut-être que nous n'étions pas destinés à passer ensemble le reste de notre vie, comme je pensais au début, mais tout le monde peut se tromper, ce n'est pas vraiment notre faute, c'est la vie, c'est l'époque qui veut ça, il n'y a rien qui dure, notre amour avait un vice de fabrication, ou une date limite, nous sommes « passés dus », mais on est des adultes, nous allons faire face à la musique, même si elle est grinçante et quant à Julia, comme c'est une petite fille c'est normal qu'elle reste avec sa mère, il faut penser à son bonheur avant toute chose, mais tu pourras quand même la voir de temps à autre, c'est ta fille après tout… »

Ma fille après tout…

Ma fille avant tout, que je dirais plutôt…

Toutes ces pensées défilent dans mon esprit à une vitesse vertigineuse pendant que l'ascenseur m'emporte vers mon destin, vers la réception, à une vitesse dérisoire et de surcroît s'arrête à tous les étages : heureusement, il est minuscule et ne peut accepter que trois passagers !

Au comptoir de la réception, l'employé, qui ne connaît pas mon drame, met une éternité à trouver dans le pigeonnier derrière lui le message qui m'est destiné. Le fait-il exprès ? Pourtant ne vient-il pas juste de m'appeler pour me dire que j'avais un message ?

D'accord, nous sommes en Italie, et les Italiens vivent avec un sens de l'ordre et du temps différent de nous, Américains, maniaques de l'efficacité.

« Alors ce message ? », ai-je envie de hurler.

L'employé se tourne vers moi, hausse les épaules, dodeline de la tête.

« Non, rien, désolé...

— Mais vous venez de me dire que j'avais un message chambre 407 !

— Ah 407 ! »

Il avait mal compris le numéro de ma chambre, l'imbécile, ou c'est moi qui l'ai mal prononcé, dans mon mauvais italien. Il repère le message dans le pigeonnier, mais ne me le tend pas vraiment, plutôt il me tente avec en restant à distance, et je devine évidemment ce qu'il veut, ce qu'ils veulent tous : un pourboire ! Que je lui donne illico, encore trop généreux, mais là je m'en moque éperdument, je n'attends pas pour la monnaie, il est en train de faire le même truc que l'autre, il doit y avoir une école ! Je suis trop impatient d'ouvrir l'enveloppe rose et parfumée qu'il finit par me remettre.

Je me hâte de l'ouvrir, encore à la réception. Bref et elliptique, le message qu'elle contient, écrit à la main, n'est pas signé si ce n'est de ces deux simples lettres : S.R.

Ce n'est pas D. qui m'a écrit, ce qui du reste était fort improbable, c'est de toute évidence, ou en tout cas fort probablement sœur Raphaëlla.

Elle m'avait dit, lors de notre précédente et seule rencontre, qu'elle me contacterait pour notre prochain rendez-vous. Alors je m'émerveille du hasard incroyable de sa missive, car les pages de Lewis sur l'homme aux furoncles sont les dernières de la première tranche !

Son message commence par ces simples mots : « rendez-vous », mais le reste est incompréhensible du moins à première vue. Jugez-en par vous-même. Il dit : « *rendez-vous par-delà Friedrich rien russe midi.* S.R. »

Pourquoi tant de mystère ?

Comme c'est frustrant !

Puis je pense, par sécurité, parce que c'est nécessaire. Parce que ce message, tombé entre de mauvaises mains, pourrait compromettre ma mission et peut-être même ma vie !

Je remonte à ma chambre, m'assieds, examine la lettre et tente de procéder comme je le fais souvent, allant du connu à l'inconnu, du simple au complexe. Bon, je sais qu'il s'agit d'un rendez-vous, à midi, selon toute évidence donné par sœur Raphaëlla. Que sais-je d'autre ?

Rien…

Il y a ce prénom, Friedrich…

Je ne connais aucun Friedrich. Est-ce le nom de la personne que je dois contacter et qui me remettra la suite du manuscrit ?

Je relis le message énigmatique. Un détail retient mon attention… Rien, en russe, c'est, si je ne m'abuse, *niet*…

Les frissons de la soudaine révélation me parcourent. Car *niet*, ce sont les quatre premières lettres du nom du célèbre philosophe allemand Nietzsche dont le prénom, et ce n'est pas un hasard, la chose est assurée, est Friedrich !

Puis tout de suite, une autre pièce du puzzle m'apparaît. Les mots « par-delà » du message annoncent simplement le titre d'une des oeuvres célèbres du grand philosophe : *Par-delà le bien et le mal*.

Mon triomphe est bref car malgré ma découverte, je dois bien admettre que je ne suis guère plus avancé. Qu'importe que j'aie décodé *Par-delà le bien et le mal* de Nietzsche ? Je ne connais pas plus le lieu du rendez-vous, fixé à midi. Et si c'est aujourd'hui… je consulte ma montre : c'est dans 53 minutes !

Il faut que je pense vite, plus vite que je n'ai jamais pensé de toute ma vie…

Je me creuse les méninges. Rien, *niet* : je ne trouve pas. Je me rappelle que l'hygiène d'écriture de Nietzsche le poussait à marcher pour trouver ses idées. Peut-être cette médecine me sera-t-elle salutaire, même si j'ai la plupart de mes idées le matin au réveil, ce que j'appelle l'offrande matinale. La nuit est la fontaine à laquelle s'abreuve mon imagination, ce qui du reste m'a valu de nombreuses insomnies, des réveils à trois heures du matin, la tête bouillonnante de scènes et d'idées ! La plupart du temps, de crainte de perdre le fruit de ce qui est tout de même une aubaine pour un romancier, je me lève et vais à ma table de travail pour une petite heure, qui se prolonge souvent jusqu'au matin, et alors pas la peine de se recoucher ! Et dire qu'il se trouve encore quelques-uns de mes voisins qui, je le vois bien à leur air dédaigneux, croient que je ne fais rien de mes journées, sinon rêvasser, conduire Julia à l'arrêt d'autobus scolaire, et m'occuper de mes quelques roses ! Enfin, il n'y a pas de métier parfait !

Je sors et marche au hasard des rues, dans l'air frais du printemps romain. Quel délice ! Et quel spectacle mystérieusement émouvant pour moi que ces façades ocres et jaunes et roses, et ces statues et ces fontaines à presque tous les coins de rue…

Je sais que chacun a le droit d'aimer son petit patelin et de le trouver beau, mais est-ce encore possible après avoir vu Rome ?

Devant le château Saint-Ange, où furent entre autres emprisonnés le philosophe Giordano Bruno et le comte de Cagliostro, un guide donne à un groupe de touristes japonais des informations historiques sur la vieille citadelle. Alors, au moment où je m'y attends le moins, la lumière jaillit en moi. Je me suis souvenu de mon premier voyage à Rome avec D. Nous avions cru bon de retenir les services d'un guide, du moins pour visiter la célèbre basilique Saint-Pierre.

Un détail m'est subitement revenu à l'esprit : des cinq portes de la basilique, l'une s'appelle... la porte du Bien et du Mal ! Et comme sœur Raphaëlla travaille à la bibliothèque du Vatican, ce lieu de rendez-vous est tout à fait plausible !

Mais peut-être tout mon raisonnement, qui paraît si logique, est-il la pure élucubration d'un romancier exténué, comme l'a été la fébrile composition du message imaginaire de D. ?

Au moment de quitter ma chambre, je me ravise.

C'est imprudent de partir ainsi, en laissant derrière moi le précieux début du *Secret de la rose*. Je plie donc le manuscrit et le glisse dans la poche intérieure de ma veste, comme je le fais avec le texte soigneusement préparé de mes conférences, que je n'utilise finalement jamais. Je sais, vous vouliez justement m'en parler : ça paraît !

Je prends aussi la précaution de faire une copie de ce que j'ai écrit sur la clé USB *Kingston Data Traveler II* de deux mégaoctets que je peux commodément suspendre à mon cou, précieux collier des romanciers modernes. J'en suis conscient, ma vanité d'auteur en souffre horriblement, car je ne peux soigner ses flétrissures en pensant que le manuscrit de telle œuvre ignorée du public ou boudée par la critique sera vénéré par la postérité.

Quant à mon ordinateur, il serait trop encombrant, et je me contente de le cacher derrière le rideau de la douche !

— 8 —
Le deuxième pétale : l'éveil et les signes : Opus I

Mon délire pour une fois ne m'a pas desservi, car à midi, à la basilique Saint-Pierre, devant la porte du Bien et du Mal, je trouve effectivement sœur Raphaëlla. Je suis heureux de la retrouver, certes, mais ne peux m'empêcher de lui adresser d'aimables reproches.

« Pourquoi avoir utilisé un message aussi énigmatique ?

— Tout romancier digne de ce nom connaît Nietzsche.

— Mais si je ne l'avais pas connu, et si je ne m'étais pas rappelé l'existence de cette porte…

— Si vous étiez *stupido*, le Millionnaire ne vous aurait pas confié ce travail ! »

Je rougis vaniteusement, esquisse un sourire. Difficile de la contredire sur ce point.

« Et de toute manière, vous êtes ici, non ? »

Également difficile de la contredire sur cet autre point. Elle a raison. Qu'importe, au fond, puisque je suis là…

Comme la première fois, la nouvelle tranche du manuscrit est enveloppée dans un grossier papier brun lié avec de la ficelle. Elle me le remet tout en précisant :

« Il en restera une seule autre tranche… Vous repartez quand ?

— Dans trois jours…

— Alors, je vous la remettrai avant votre départ.

— Est-ce qu'on ne pourrait pas d'ores et déjà fixer le lieu et l'heure de notre prochain rendez-vous ? Les devinettes, c'est amusant, mais…

— Vous n'avez pas confiance en vos moyens ?

— Oui, mais…

— D'accord, alors ici même, demain, à la même heure… »

Elle regarde à gauche et à droite, paraît nerveuse, ou en tout cas préoccupée. Est-ce que notre rencontre est déjà terminée ? Je ne sais pas pourquoi, mais l'idée de devoir me séparer tout de suite d'elle me chagrine, peut-être parce que je me suis déjà attaché à elle.

Je tente de relancer une conversation qui semble finie.

« Est-ce que vous avez des nouvelles du Millionnaire ? »

Elle ne répond pas tout de suite, à la place, elle dit :

« Venez, marchons... »

Elle m'entraîne vers les célèbres colonnades de la place Saint-Pierre, où nous faisons une promenade parmi les nombreux touristes et les religieux de différentes confessions. On dirait la tour de Babel de la religion, c'en est hallucinant.

« Comment avez-vous fait la connaissance du Millionnaire ? »

Avant de me répondre, sœur Raphaëlla me toise comme si elle voulait sonder ma sincérité, ou la confiance qu'elle peut avoir en moi.

« Par hasard si on peut dire... Il venait souvent à la bibliothèque du Vatican... À un certain moment, j'ai vécu un grand drame dans ma vie. Il l'a deviné et est venu à moi, et il m'a aidée à passer au travers. Sans lui, je ne sais pas ce que je serais devenue... »

Elle marque une pause, puis reprend :

« Mon mari...

— Vous avez été mariée ?

— Enfin, non pas vraiment mais c'était tout comme. Il y a des gens qui sont mariés et qui ne le sont pas, et des gens qui ne sont pas mariés et qui le sont, si vous voyez ce que je veux dire... »

Si je voyais ce qu'elle voulait dire ? Jamais je ne m'étais senti aussi marié à D. qu'en ce moment, même si nous ne l'étions pas officiellement.

« Oui…

— Paulo ne voulait pas se marier, non pas parce qu'il ne m'aimait pas, mais parce qu'il estimait que c'était une stupide invention bourgeoise, et qu'il n'avait pas besoin d'un papier émis par la société pour prouver au monde entier son amour. Moi je lui disais que je me foutais de la société, que je voulais me marier avec lui parce que c'était la bonne chose à faire, parce que nous étions mariés dans notre âme, parce que je voulais passer le reste de ma vie avec lui… Nous vivions ensemble, mais j'ai décidé de le quitter pour aller vivre avec ma sœur, à Paris. Je lui avais donné un ultimatum : si on ne se mariait pas d'ici trois mois, il ne me reverrait jamais. Je lui avais laissé juste une adresse, pour qu'il m'écrive ses intentions, si jamais il se décidait, et que ce ne soit pas seulement des promesses en l'air.

« Je ne voulais pas me laisser embobiner au téléphone, il était si habile avec les mots, il était avocat, vous comprenez ?… Une semaine après l'avoir quitté, je me suis rendu compte que j'étais enceinte. J'étais terrorisée mais je ne voulais pas le lui dire, je ne voulais pas qu'il me promette le mariage parce que j'attendais un enfant de lui et qu'il se sentait des responsabilités envers moi. Je voulais qu'il me revienne parce qu'il comprenait ce que signifiait le mariage entre un homme et une femme. Mais les choses ne se sont pas passées comme j'avais prévu… »

Son visage s'assombrit, il me semble même que des larmes embuent ses yeux. Elle s'arrête subitement de marcher, esquisse une grimace vite réprimée, porte la main à son cœur, comme si elle avait un point, un malaise.

Je m'immobilise à mon tour, me penche vers elle, inquiet.

« Est-ce que ça va ?

— Oui, oui, me rassure-t-elle, avec un sourire qui me paraît forcé et en tout cas loin de me convaincre.

— Arythmie, avoue-t-elle. Et avec dix espressos par jour, ce n'est pas une trop bonne combinaison, je sais. »

Elle se remet à marcher, comme pour me prouver que son malaise est aussi léger que passager.

« Vous êtes certaine que vous ne voulez pas vous asseoir ?

— Seulement devant un espresso… »

Quelques minutes plus tard, je vois qu'elle ne plaisantait pas, car nous sommes à la terrasse d'un café devant des cafés, un odorant double espresso pour elle, un vulgaire café américain pour moi : car moi aussi j'ai le cœur faible, mais à la différence de sœur Raphaëlla, je me soigne. Elle poursuit son récit :

« Non, les choses ne se sont pas passées comme je pensais. Trois mois après mon départ à Paris, j'ai appris que Paulo s'était suicidé. À son enterrement, j'ai su ce qui s'était passé par la bouche de ma sœur qui pleurait plus qu'elle n'aurait dû en semblables circonstances : après tout, ce n'était pas moi qui étais morte, mais mon ancien petit ami qu'elle avait seulement vu dix fois dans sa vie, car elle n'habitait pas Rome mais Paris.

— Elle...»

Il me semble que j'ai deviné le malentendu tragique dont sœur Raphaëlla a été victime, mais je préfère me taire de crainte de m'être trompé.

« Paulo m'avait écrit plusieurs lettres, dans lesquelles il me demandait en mariage, mais ma sœur ne me l'a jamais dit. Un jour, en une ultime tentative de réconciliation, Paulo a même fait le voyage de Rome à Paris pour me voir. Je n'étais pas là. C'est ma sœur qui lui a répondu et elle a menti, elle lui a dit que je ne voulais plus qu'il me harcèle avec ses lettres, que j'avais rencontré quelqu'un d'autre, que c'était du sérieux cette fois-ci, et que j'étais même enceinte de lui, que nous allions nous marier. Elle lui a d'ailleurs montré le test de grossesse que j'avais conservé parce qu'il ne la croyait pas.

— Pourquoi vous a-t-elle fait ça ? Pourquoi tant de méchanceté ? Elle vous détestait ?

— Elle était amoureuse de Paulo, elle me l'avait toujours caché. À l'enterrement, elle se sentait trop coupable, et puis Paulo était mort maintenant, elle m'a dit toute la vérité, et elle m'a remis ses lettres...

— Oh, c'est... c'est terrible, je n'ai jamais entendu quelque chose d'aussi triste...»

Nous restons sans parler pendant un moment, indifférents à tout ce qui se passe autour de nous. Des pensées se bousculent dans mon esprit.

Je pense que souvent on demande des signes à la Vie, on demande des réponses à l'Univers et on ne se rend pas compte que ces signes, on les a devant soi, ils nous envoient même la main, mais comme ils portent un vêtement différent de celui qu'on attendait, on ne les reconnaît pas.»

Est-ce vraiment un hasard que sœur Raphaëlla me fasse le récit émouvant de sa vie ? N'est-ce pas la préfiguration de ce qui m'arrivera avec D., si je m'obstine à ne pas sceller notre union par un véritable mariage ? N'est-ce pas ce qui nous est DÉJÀ arrivé, la grossesse exceptée ? Ne connaîtrai-je pas le désespoir de ce pauvre Paulo ? Ne suis pas DÉJÀ en train de le connaître, et mon début de dépression n'est-il que la pointe de l'iceberg ? Ensuite je vais m'engloutir comme le Titanic, que l'on croyait insubmersible ? Moi aussi mon entourage m'a toujours cru inébranlable... Mais peut-être demain, dans trois jours, dans dix jours, devra-t-on admettre, étonné, que moi aussi j'ai craqué, comme tout le monde...

« Mais l'enfant dans tout ça ? Je ne savais pas qu'on pouvait avoir un enfant et rentrer dans les ordres... »

Je vois alors que j'aurais dû me taire, que j'ai posé la mauvaise question, *stupido* que je suis. Pourtant la charmante religieuse m'explique :

« Quand j'ai vu que Paulo était mort, j'ai paniqué, je me suis dit que je ne pouvais pas élever seul un enfant, que c'était de la folie, alors j'ai pris rendez-vous pour faire passer le petit, mais à la dernière minute, j'ai été prise de remords, j'ai décidé de le garder. Mais il était trop tard, le petit a senti que je ne voulais pas de lui, je l'ai perdu. J'ai fait une fausse couche... Alors, je me suis sentie comme une meurtrière...

— Mais vous ne l'avez quand même pas tué, une fausse couche est une fausse couche.

— Il y a plein de gens qui tous les jours commettent des meurtres et n'ont pas de sang sur les mains, mais ils sont quand même des assassins. Vous êtes romancier, vous devriez savoir ça, non... »

À nouveau, je n'ose la contredire. Je me tais, confus. Je la regarde. Elle est vraiment d'une beauté exceptionnelle.

« C'est à cette période de ma vie que j'ai rencontré le Millionnaire, et que j'ai décidé de rentrer dans les ordres, parce que je sais que jamais plus je ne pourrai aimer un autre homme que Paulo... Et de toute manière, je suis certaine que maintenant ce n'est plus qu'une question de temps... ajoute-t-elle, énigmatique.

— Qu'est-ce que vous voulez dire ?

— Je parle à un médium...

— Ah bon...

— Il a vu ce qui m'attendait, alors je sais que je vais les rejoindre tous les deux, Paulo et le petit...

— Je ne suis pas sûr de vous suivre, vous n'allez pas...

— Mourir ? dit-elle avec un sourire.

— On dirait que ça vous laisse indifférente, que même vous êtes impatiente.

— Quand vous aurez découvert le quatrième pétale du *Secret de la rose*, vous allez comprendre... »

Elle consulte alors sa montre.

« Il faut que j'y aille maintenant, mon heure de lunch est terminée. Soyez prudent, et à demain.

— Vous voulez que je vous raccompagne jusqu'à la bibliothèque ?

— Non, je vous remercie... »

Elle se lève, me serre la main et tourne les talons. Je la regarde s'éloigner. Quelle femme étonnante au destin peu banal !

Dès que je l'ai perdue de vue dans la foule, je me rappelle le but de notre rencontre : la remise de la deuxième tranche du manuscrit du *Secret de la rose*.

Je rentre avec impatience à l'hôtel, mais une désagréable surprise m'y attend. En ouvrant la porte, j'ai une drôle de sensation, ou plutôt il me semble respirer une imperceptible odeur de cigarette qui n'était pas là quand j'ai quitté la chambre. Ai-je reçu de la visite ? Qui me dit, d'ailleurs, que le visiteur ne m'attend pas dans la chambre, tapi dans un placard ou dans la salle de bain, si ce n'est sur le balcon ?

Je tends l'oreille. Rien. Pas de bruits suspects, pas de craquements particuliers si ce ne sont les bruissements banals dans un hôtel, d'une femme de chambre qui passe l'aspirateur, d'un couple qui, dans une chambre voisine, se dispute ou fait l'amour : c'est parfois la même musique grinçante ! Je pense que l'odeur de cigarette pourrait provenir non pas de quelqu'un qui a fumé dans ma chambre, mais de quelqu'un qui fume et dont toute la personne sent le tabac : l'haleine bien sûr, mais aussi les cheveux, les vêtements…

J'inspecte d'abord la salle de bain : rien de suspect. Et Dieu merci mon ordinateur est toujours dans la baignoire, visiblement intact ! Mais sur le balcon, je découvre un mégot de cigarette. Était-il là avant mon départ ? Difficile à dire. Si j'ai été visité, est-ce par une simple femme de chambre qui a fumé dans la pièce ? C'est interdit, je sais mais, ai-je envie de dire, on est en Italie et si les gens ne faisaient que ce qui leur est permis, la vie serait d'un ennui… Peut-être, aussi, ai-je reçu la visite d'un simple rat d'hôtel comme il y en a dans toutes les villes du monde.

Ou bien celle de l'homme au chapeau noir ou du prêtre chauve…

Le téléphone sonne, cette fois-ci j'en suis sûr, c'est D.

Je m'empresse de répondre.

Mais il n'y a personne au bout du fil.

« Allô ? »

Personne. Je raccroche. Maintenant je sais qu'ils m'ont repéré. Qui ? Je ne sais pas... L'homme au chapeau noir, le prêtre chauve, ou de sinistres représentants du Vatican qui veulent stopper la diffusion du *Secret de la rose* et surtout de sa révélation principale : le retour de Pierre le Romain. Oui, la chose est évidente, peu importe qui ils sont, ils savent où je suis. Je dois déguerpir à toute vitesse, me trouver un nouvel hôtel jusqu'à mon départ. Je mets la deuxième tranche du *Secret de la rose* dans ma valise que je boucle à toute vitesse.

Je règle ma note à la réception, prétextant qu'une urgence m'oblige à ce départ prématuré, et j'insiste cependant pour qu'on continue de prendre mes messages car j'attends un appel important. On me donne l'assurance formelle qu'il n'y a pas de problème.

Sur le trottoir, je suis inquiet. Si j'étais surveillé ?

J'ai fait demander un taxi dans lequel je saute. Au troisième coin de rue, je le paie et m'engouffre dans le métro. J'en ressors deux stations plus loin et me mets à courir comme un fou dans ses corridors. Dehors, je saute dans un autre taxi. À tout bout de champ, j'ai vérifié derrière moi qu'on ne me suivait pas. Et je crois que j'ai échappé à ceux qui me poursuivent ou me surveillent. Une fois au nouvel hôtel que j'ai choisi et qui est un peu plus près de Saint-Pierre, je souffle un peu.

J'ai souvent mis des fuites et des poursuites dans mes romans, mais je me rends compte que, dans la vraie vie, c'est plus angoissant, c'est même terrifiant ! Du moins, je suis sain et sauf, dans un charmant petit hôtel, ma fenêtre a une vue sur le Tibre et, au loin, sur la basilique. Je peux en d'autres mots garder un œil sur sœur Raphaëlla, ou presque, et je serai à cinq minutes de marche de mon rendez-vous de demain !

Mon premier soin, en entrant dans ma chambre, est de téléphoner à D. pour l'informer de mon changement d'hôtel, mais je joue de malchance : j'ai beau laisser sonner le téléphone cinq coups, dix coups, la sonnerie ne déclenche pas la messagerie vocale. Impossible donc de lui laisser un message. Bon, je ne peux rien faire ! Alors, je fais comme j'ai toujours fait pour oublier : je me jette dans le travail !

Je tire mon couteau suisse de ma poche, coupe la ficelle du paquet, et découvre la deuxième tranche du manuscrit du *Secret de la rose*, dont le début ne manque pas de me surprendre.

Page 584 arrachée du *Matin des Magiciens*, best-seller des années 1970, par Louis Pauwels et Jacques Bergier, qui citent de très beaux passages du roman *Le Visage vert* de Gustav Meyrink :

« La clef qui nous rendra maîtres de la nature intérieure est rouillée depuis le déluge.

« Elle s'appelle : veiller.

« Veiller est tout.

« L'homme est fermement convaincu qu'il veille ; mais en réalité, il est pris dans un filet de sommeil et de rêve qu'il a tissé lui-même. Plus ce filet est serré, plus le sommeil règne en puissance. Ceux qui sont accrochés dans ses mailles sont les dormeurs qui marchent à travers la vie comme des troupeaux de bestiaux menés à l'abattoir, indifférents et sans pensée. (...) Veille dans tout ce que tu fais ! Ne te crois pas déjà éveillé. Non, tu dors et rêves.

« Rassemble toutes tes forces et fais un instant ruisseler dans ton corps ce sentiment : à présent, je veille ! »

Et un autre passage un peu plus loin : « Lis les Écritures saintes de tous les peuples de la terre. *À travers chacune d'elles passe comme un fil rouge la science cachée de la veille(...)*. Les hommes (...) somnambules qui ignorent qu'ils sont *des dieux endormis...* »

Des dieux endormis...

N'est-ce pas ce que le Millionnaire n'a cessé de répéter à travers tous ses enseignements, et c'est pour cela qu'il a souligné en rouge ces mots : des dieux endormis...

Suivait un passage de sa main :

« L'homme est pris dans le filet de ses habitudes, de ses peurs, de ses fausses croyances et de ses contradictions. En s'éveillant, l'homme élève ses vibrations, ce faisant, il conquiert sa liberté et sa vie devient un jeu. À chaque degré nouveau que l'homme atteint sur le chemin infini de l'éveil, correspondent une connaissance et une application plus grandes de la loi de la manifestation. Le travail véritable de l'homme est donc de s'éveiller. En s'éveillant, l'homme accède peu à peu à l'unité intérieure. L'homme avant l'éveil est légion. Il est une armée de désirs, de pensées contradictoires.

« Il pense une chose un jour, le contraire le lendemain. Il prend une résolution, l'oublie au bout d'un mois. Il prétend aimer sincèrement une femme et pourtant il la trompe. Il est malheureux de la tromper, mais est incapable de lui être fidèle. Il veut arrêter de fumer, de boire, parce qu'il sait que c'est mauvais pour lui, que même il en mourra un jour, mais un autre moi en lui est incapable de respecter ce désir, de respecter toute résolution.

« Cet homme déchiré de contradictions, incapable de discipline est l'homme ancien : le véritable travail de l'alchimiste consiste à faire mourir cet homme ancien, pour que l'enfant philosophique naisse, qui un jour deviendra l'homme nouveau, l'homme véritable, et dans sa main grandira le sceptre du pouvoir, celui par lequel la loi de la manifestation accomplit toute chose : tel est le deuxième pétale du *Secret de la rose*. »

— 9 —
L'éveil et les signes : Opus II

De la main du Millionnaire :

« Les hommes éviteraient bien des déboires, bien des échecs, bien des malheurs s'ils apprenaient à lire les signes que met constamment sur leur chemin la loi de la manifestation. Le monde est une vaste forêt où tout parle à qui sait voir et écouter.

Plus tu t'éveilleras, jeune ami, plus tu pourras voir des signes qui jusque-là t'étaient invisibles, et qui le resteront pour la plupart des gens, qui ne croient qu'en ce qu'ils appellent les choses concrètes; parce qu'elles sont tangibles et visibles, et c'est pour cette raison qu'ils restent toute leur vie malheureux. Sois plus sage, vois ce que l'enfant alchimique voit, voit l'invisible derrière le visible, les principes spirituels derrière tout chose et bientôt tout te parlera.»

Suivent des notes de la main du Millionnaire, que je mets en forme du mieux que je peux

Comment César fut prévenu de sa mort prochaine

Son épouse, Calpurnia, fit un rêve prémonitoire quelques jours avant son décès. Dans le rêve, le toit de leur maison fut emporté par un vent violent. La nuit qui précéda l'assassinat de son mari, elle refit le même rêve, mais en plus, dans ce songe affreux, l'empereur s'effondrait dans ses bras, le corps couvert de sang. Elle le lui raconta, mais il se contenta de hausser les épaules, prétextant que ce n'était là que des rêves de bonne femme!

Spurinna, un haruspice (on écrit aussi aruspice), c'est-à-dire un devin qui examinait les entrailles des victimes pour en tirer des présages, lui rend visite quelques jours avant le 15 mars, jour de son assassinat à la curie de Pompée, et le prévient: «Prends garde, Caius Julius Caesar, à un péril qui ne sera pas reculé au-delà des ides de mars.»

Mais César n'aime pas se laisser dicter sa conduite par les signes et les présages, et de plus il méprise ouvertement ce devin qui parle toujours les yeux mi-clos, la tête levée au ciel. N'est-ce pas lui qui, quelques années plus tôt, lui a fait une prédiction qui ne s'est jamais réalisée ? Alors, pourquoi le croire cette fois-ci alors qu'il s'est trompé jadis ?

Le matin du jour fatidique, César, toujours vivant, croise le devin et le nargue : « Tu vois, je suis toujours vivant et les ides de mars sont arrivées. »

Mais le devin, suave de justesse, lui rétorque : « Elles sont arrivées, mais elles ne sont pas passées… »

Cornelius Balbus, un de ses proches, lui rapporte la singulière anecdote suivante : À Capoue, (ville romaine) les colons qui ne se soucient guère de démolir des tombeaux anciens pour construire leur maison de campagne, ont découvert dans le tombeau de Capys, le fondateur de la ville, une tablette de bronze qui porte l'inscription suivante, gravée en grec : « Quand on aura découvert les ossements de Capys, un descendant de Iule tombera sous les coups de ses proches, et bientôt l'Italie expiera sa mort par de nombreux désastres. »

Or, César compte Iule parmi ses illustres ancêtres ! Et pourtant, il dédaigne ce présage, comme il en dédaigne d'autres tout aussi singuliers. De même que ce présage à la fois limpide et émouvant.

Ses magnifiques chevaux, avec lesquels il a franchi intrépidement le Rubicon, après sa célèbre hésitation, il les a laissés libres dans la prairie, et depuis le début du mois de mars, ils ne cessent de hennir, comme si, littéralement, ils pleuraient (qui a dit que les animaux ne pouvaient pas pleurer, surtout ceux qui ont l'intelligence et la sensibilité des chevaux ?) et se privent de nourriture, se laissant littéralement mourir. Oui, en une sorte de deuil anticipé, comme s'ils avaient senti que leur maître vénéré allait quitter ce monde !

Est-ce une affabulation, un hasard ?

Chose certaine, César n'en a pas été le témoin direct, mais ce qu'il a vu en revanche, c'est sa propre statue qui, bousculée accidentellement par un esclave, tombe et se brise alors qu'il se rend sur sa litière à l'assemblée fatale !

À quelques jours de son assassinat, lui aussi, comme sa femme, fait un rêve prémonitoire.

Une main lumineuse se tend vers lui.

Après une hésitation, comme s'il ne pouvait résister à son mystérieux attrait, il la saisit, le regrette aussitôt, submergé par une défiance subite. Il tente de retirer sa main, mais en est incapable, et alors il se sent emporté vers les hauteurs. Il se retourne et aperçoit sous lui sa demeure qui est curieusement privée de murs et dans laquelle il voit sa femme, affolée, qui le cherche, assise dans son lit.

Et soudain, ébloui, il aperçoit le soleil qui se lève sur Rome, la magnifique, Rome, objet de toutes ses ambitions, de toutes ses admirations. Il voit les monts

Albains, la mer. Ensuite il reconnaît la Grèce, le mont Olympe et il se rend alors compte que la mystérieuse main blanche qui l'emporte dans ce périple affolant n'est nulle autre que celle de Jupiter !

À son réveil, il revoit, avec une précision hallucinante, ce rêve prémonitoire et en comprend immédiatement le sens.

Oui, il comprend, sans affolement, comme une évidence inévitable, qu'il mourra sous peu, qu'il ira vivre parmi les dieux !

Pourquoi ne tient-il pas compte de ce rêve ?

De la main du Millionnaire : « Ne suis pas l'exemple de César, écoute tes rêves. Chaque nuit, tu rêves et tes rêves te parlent de ton passé, de ton présent, de ton avenir, te préviennent des dangers et des maladies qui te guettent. Puise abondamment dans la corbeille de tes rêves, tu y trouveras la lumière pour éclairer tous tes projets, édifier ta fortune et asseoir ton bonheur. »

Malgré ses rêves, malgré les conseils pressants de ses amis, de sa femme, César ne croit pas judicieux de se faire accompagner de sa fidèle garde rapprochée pour se rendre à l'assemblée où il se fera assassiner.

La femme qui annonça sa propre mort

Page 169 prélevée du livre *De la divination de Cicéron.*

« J'ai entendu moi-même Lucius Flaccus raconter que Caecilia, l'épouse de Metellus, voulant marier la fille de sa sœur, se rendit dans un petit temple pour prendre un présage, selon l'usage des Anciens. Comme la jeune fille était debout, Caecilia, assise, et

que pendant longtemps aucune voix ne s'était fait entendre, la jeune fille demanda à sa tante de la laisser se reposer quelques instants sur sa chaise; elle lui répondit: " Mais oui, mon enfant, je te cède ma place." Le présage se réalisa: elle mourut rapidement et la jeune fille épousa l'homme à qui Caecilia était mariée. »

Qui bien entendu se trouvait être son oncle. Mais sans doute les mœurs de l'époque toléraient-elles cette pratique, aujourd'hui réprouvée…

Cicéron conclut: « Je comprends parfaitement qu'on puisse mépriser tout cela, ou même en rire, mais mépriser les signes envoyés par les dieux, c'est mépriser l'existence des dieux… »

« Mais oui, mon enfant, je te cède ma place… »

Comme nos paroles, même en apparence insignifiantes, sont lourdes de sens et de prophéties. Et par conséquent, comme il faut être prudent lorsqu'on parle…

Je ne sais pas si ce chapitre était complet dans l'esprit du Millionnaire, mais c'est tout ce qu'il comportait.

— 10 —

Le troisième pétale : le mystère du mal

En lisant le titre de cette section, j'ai une émotion : il y a si longtemps que je cherche la clé du *mysterium iniquitatis*, le mystère des mystères sans doute, et la source de toute révolte...

Comment ne pas être révolté en effet devant les horreurs de ce monde, les guerres, les injustices, les abus de toutes sortes, la violence faite aux femmes, aux enfants ?

Le Millionnaire, sans que je comprenne pourquoi, a répété ici la mystérieuse équation du début :

HOMME + MONDE - DIEU = 0

Puis deux autres équations :

HOMME + MAL - DIEU = DÉMON

HOMME + MAL + RAYON DE DIEU =
HOMME NOUVEAU

Suit une page (289) arrachée d'*Hermès Trismégiste*, une anthologie de ses plus grands textes.

« Chaque astre a ses démons, bons et méchants par leur nature, c'est-à-dire par leur action, car l'action est l'essence des démons. (...) Tous ces démons sont préposés aux choses de la terre ; ils agitent et bouleversent les conditions des États et des individus, ils façonnent nos âmes à leur ressemblance, s'établissent dans nos nerfs, notre moelle, nos veines, nos artères, et même dans notre cervelle, et jusqu'au fond de nos viscères.

« Au moment où chacun de nous reçoit la vie et l'âme, il est saisi par les démons qui président aux naissances.(...) Ils pénètrent par le corps dans deux des parties de l'âme, pour façonner chacune selon son énergie. Mais *la partie raisonnable de l'âme n'est pas soumise aux démons*, elle est disposée pour recevoir Dieu qui l'éclaire (...). Ceux qui sont éclairés ainsi sont peu nombreux, et les démons s'en abstiennent, car *ni les démons ni les dieux n'ont aucun pouvoir contre un seul rayon de Dieu*. »

Un seul rayon de Dieu...

Comme l'expression est belle...

Jésus chassait les démons et ainsi guérissait les malades. Ce n'était donc pas une image, mais une réalité...

Quand on lit les témoignages des tueurs en série, des violeurs, ils disent souvent que juste avant de commettre leur crime, ils se sont sentis possédés, ils ne s'appartenaient plus. Ne disent-ils pas la vérité : que ce sont des démons qui agissent à travers eux, et qu'ils n'en sont que les faibles et stupides instruments, car ils ne sont pas philosophes et nul rayon de Dieu n'est entré dans leur âme ?

De la main du Millionnaire : « Comme le disait le divin Platon, il faut que les rois deviennent philosophes, et les philosophes rois. »

Autre page d'Hermès : « Aucune partie du monde n'est vide de démons (...). Celui qui entre en nous y sème le germe de sa propre énergie, et l'intelligence recevant ce germe conçoit les adultères, les meurtres, les parricides, les sacrilèges, les impiétés, les oppressions, les renversements dans les précipices et toutes les autres œuvres des mauvais démons.

Les semences de Dieu, peu nombreuses, mais grandes, belles et bonnes, sont la vertu, la tempérance et la piété. La piété est la connaissance de Dieu, celui qui la possède est rempli de tous les biens : il conçoit des pensées divines et différentes de la foule.(...) *Il faut que la méchanceté habite ici-bas, c'est sa place.* La guerre est son séjour, et non pas le monde. (...) L'espèce humaine est portée au mal; le mal est sa nature et lui plaît. (...) Les démons ont donc la direction des choses terrestres, et nos corps leur servent d'instruments. (...) Mais l'homme pieux est au-dessus de tout par la possession de la gnose. Tout est bon pour lui, même ce qui serait mauvais pour les autres. Ses méditations rapportent tout à la gnose, et, chose merveilleuse, *seul il change les maux en bien.*»

Suit un passage qui fournit une explication de la désolante prolifération du mal fait aux enfants, sous toutes ses formes.

De la main du Millionnaire: « Le triomphe, la jouissance absolue des démons est de profaner l'innocence suprême. Et qui en sont les dépositaires, après les philosophes subtils qui ont su renaître dans le sein de leur mère ? Les enfants.»

Suit la page 64 du livre d'Hermès:

« Contemple, mon fils, l'âme de l'enfant; sa séparation n'est pas encore accomplie; son corps est petit et n'a pas encore reçu son plein développement. Elle est belle à voir, non encore souillée par les passions du corps, encore presque attachée à l'âme du monde.»

Mais une phrase me trouble, et me revient constamment à l'esprit: « Il faut que la méchanceté habite ici-bas, c'est sa place...».

Pourquoi FAUT-IL que la méchanceté habite ici-bas ? Voilà qui est au cœur même du *mysterium iniquitatis,* non ? Avec les siècles, avec les millénaires, pourquoi l'homme n'a-t-il pu apprendre à s'amender, à développer en lui la bonté, la sagesse, en somme à se protéger du gouvernement des démons et à se laisser visiter par un seul rayon de Dieu ?

Le Millionnaire qui a toujours eu le don de lire dans mes pensées, même quand je ne suis pas en sa présence, répond à ma question avec un à-propos mystérieux. Il faut dire que je n'ai fait que raisonner en somme, et que la logique obéit à des lois universelles.

De la main du Millionnaire : « Le mal qui est répandu si universellement sur la terre te révolte, mais l'explication de cette révolte est que l'humanité est bien plus vaste que ce que tu crois. Comme disait le Maître des maîtres : "Il y a plusieurs demeures dans la demeure de mon Père." Plus personne ne croit, comme avant Galilée, que la terre est immobile et constitue le centre de l'univers. Le jour est proche où les hommes comprendront qu'il y a plusieurs planètes habitées à travers le vaste univers. Si tu en doutes encore, passe cinq minutes à regarder l'infini de la voûte étoilée, le soir, et demande-toi si tu peux continuer à penser que nous sommes seuls.

« Ne serait-ce pas le plus grand, le plus stupide des gaspillages ? La pluralité des mondes est la clé du *mysterium iniquitatis*. Certains mondes sont plus élevés que le nôtre, d'autres moins évolués. Il y a les mondes du commencement, si on peut dire, où s'incarnent les âmes à leurs débuts, les mondes d'expiations et d'épreuves, où le mal domine. Dans les mondes plus avancés, le bien l'emporte sur le mal, puis viennent les mondes heureux et célestes où le bien est partout, le mal nulle part. Notre terre, hélas, appartient aux mondes d'expiations et d'épreuves, c'est pourquoi le mal y domine, et y dominera toujours. Mais cette loi, qui pourrait te déprimer, est porteuse d'espoir.

« Car si ton âme s'est incarnée ici, c'est qu'elle devait apprendre, se perfectionner.

« Avec le perfectionnement viennent la liberté et la possibilité de s'incarner dans un monde plus élevé. Que cette compréhension du mystère du mal dicte ta morale nouvelle. Ne te laisse pas abattre par le mal. Surtout, ne te laisse pas contaminer par lui.

« Chaque jour travaille à ton perfectionnement.

« Chaque jour accumule des mérites nouveaux.

« Ne médis pas, car c'est propager le mal par tes paroles !

« Ne sois pas négatif, envieux, impatient ou colérique, car c'est propager le mal par tes pensées !

« Ne sois pas infidèle à tes serments, ne sois pas violent, ne sois pas un tyran avec aucun enfant, ne sois pas obscène dans tes gestes, car c'est propager le mal par tes actes !

« Ne vole pas, même un œuf, car tu alourdis la valise de ton destin et elle doit être vide de tout mal, et toute pleine de bien, si tu veux passer les douanes du monde prochain !

« Sois un parent pour tous les enfants de la terre, un ami pour chaque homme, chaque femme, même s'ils ne connaissent pas encore le mystère des mystères : que le mal domine leur vie, et que les démons ont la haute main sur leurs passions. Chaque fois que tu peux, enseigne-leur cette vérité, ce secret, car le don de la vérité est le don suprême. Fais-le en paroles si tu veux, mais mieux encore fais-le par ton silence et ton exemple : et le meilleur exemple, le meilleur maître reste le bonheur.

« Cette tâche colossale te paraît peut-être hors de ta portée, ce voyage trop long ? Mais tu as déjà entre les mains ton passeport de lumière car TU SAIS le mystère des mystères.

« Et comme disait le sage chinois : “Un voyage de mille pas commence par un premier pas.” Que ton premier pas soit de laisser entrer en toi un seul rayon de Dieu ! »

Je suis si troublé, si bouleversé par ce qui est pour moi une véritable révélation que je ne peux résister à la tentation de sortir et d'aller marcher dans les rues de Rome, la ville éternelle.

Je marche pendant deux heures un peu comme un somnambule.

Je m'arrête enfin, fatigué, *piazza Colonna,* où se trouve la fameuse colonne de Marc-Aurèle. Ce n'est plus l'empereur, auteur célèbre des *Pensées pour moi-même,* qui surplombe la colonne malgré son nom mais, depuis le 16e siècle, une statue de Saint-Paul.

Je dois dire que je suis un peu déprimé, car le troisième pétale, même s'il a été pour moi une révélation depuis longtemps attendue, m'a abattu.

Ainsi, nous vivons dans un monde qu'a toujours dominé, que dominera toujours le mal.

Et l'âge des ténèbres, qu'on croit contemporain, est de toutes les époques de la terre, malgré l'apparent progrès.

Mais alors, en un autre hasard singulier, passe près de moi un groupe de touristes français qui marchent d'un bon pas, animés de je ne sais quelle bonne humeur communicative. C'est que, avinés peut-être ou « herbés », si je peux me permettre le néologisme, ou simplement

excités par leur récente arrivée dans la ville éternelle, ils chantent à tue-tête, avec un bel esprit de corps et une harmonie impeccable, la fameuse Marseillaise.

Allons ! Enfants de la patrie !
Le jour de gloire est arrivé !
Contre nous de la tyrannie,
L'étendard sanglant est levé !
Entendez-vous dans les campagnes
Mugir ces féroces soldats ?
Ils viennent jusque dans vos bras
Égorger vos fils, vos compagnes
Aux armes, citoyens !
Formez, vos bataillons !
Marchons, marchons !
Qu'un sang impur…
Abreuve nos sillons !

Le premier couplet, le refrain de ce chant de guerre, dédié au maréchal Luckner, me galvanise.

Je le reçois comme un message d'espoir.

Dans l'humanité.

Dans la Vie.

Et me vient à l'esprit une pensée magnifique de Victor Hugo : « Nous pouvons jeter des pierres, nous plaindre d'elles, trébucher dessus, les escalader ou les utiliser pour construire. »

Oui, sans doute, le mal prédomine dans le monde, et sévit la tyrannie des démons, qui viennent égorger jusque dans nos bras, nos enfants et nos compagnes. Oui, sans doute, il y a des hommes méchants, des assassins, des violeurs, des menteurs, des fourbes et des agresseurs, mais il y a aussi des hommes bons…

Ce sont eux les enfants de la patrie avec qui il faut former nos bataillons pour combattre les démons qui dirigent les affaires de ce monde.

C'est avec eux qu'il faut se lever et dire : « Marchons, marchons ! La vie vaut la peine d'être vécue ! »

Je me lève et obéis comme malgré moi à ce conseil enthousiaste : je marche, ne résistant pas à la tentation de suivre cette joyeuse horde de magiques touristes français qui continuent à chanter *La Marseillaise*.

Et je pense que si la vie vaut la peine d'être vécue, c'est qu'il y a des villes comme Rome, comme Paris…

C'est parce qu'il y a *Elvira Madigan* de Mozart, *L'art de la fugue* de Bach, l'*Album blanc* des Beatles…

C'est parce qu'il y a *Madame Bovary* de Gustave Flaubert, *Le Livre de ma mère* d'Albert Cohen et *Le Temps retrouvé* de Marcel Proust…

C'est parce qu'il y a le golf de Pebble Beach et la première victoire de Tiger Woods au Masters…

Un bon verre d'*Opus I*, un morceau de stilton, et l'odeur du café le matin…

Et, parce qu'il y a, surtout, le visage de D., le sourire lumineux de Julia…

Et aussi, bien sûr, le film *Manhattan* de Woody Allen…

Sur le chemin du retour, je ne peux résister à la tentation de faire un bref arrêt à mon premier hôtel pour vérifier si D. n'y a pas laissé un message.

Non.

Alors, je me demande: *le pire n'est-il pas en train d'arriver à Montréal, en mon absence?*

Parce que, en amour comme en affaires, les absents ont toujours tort…

— 11 —

Le quatrième pétale : le mystère de la mort

« Leur propre mort est la source de la plus grande peur des hommes, celle de leurs proches, de leur plus grand chagrin. » L'ignorance est à la source de ce double malheur. Ton corps meurt, certes, mais ton âme est immortelle. Ainsi qu'un conducteur change de voiture au cours de sa vie pour poursuivre sa route, ainsi ton âme change de corps (et c'est heureux !) pour poursuivre son voyage éternel. En vérité, l'homme meurt chaque nuit, c'est-à-dire qu'il abandonne son corps pour aller de l'autre côté.

Mais tous oublient : il faut s'éveiller quand on dort, se lever dans la nuit. Pour apprendre l'art de mourir, il faut apprendre l'art de se souvenir. C'est une science oubliée par la plupart et que pourtant la plupart peuvent retrouver. Dans la mémoire du sommeil s'évanouit la peur de la mort comme les ténèbres dans la lumière de l'aube. Assurément, on passe plus de temps de l'autre côté qu'ici. Ceux qui sont morts avant nous nous y attendent, pour eux notre naissance est une mort, un départ, et notre mort une naissance en leur monde, et par conséquent l'occasion de retrouvailles et de célébrations.

Tel est le quatrième pétale du *Secret de la rose*. Cette vérité éternelle est difficile à comprendre pour celui qui n'est pas philosophe, pour celui qui ne voit pas les choses avec l'œil de l'esprit et croit faussement qu'il n'est qu'un corps et que la vie s'arrête avec sa mort. Mais qu'il se rassure : la preuve, il l'aura à l'instant même, de ce qu'il croit être sa mort et qui n'est en fait que sa naissance (une de ses milliers de naissances !). Nul n'est tenu de croire en cette vérité même si, depuis des millénaires, de grands esprits y ont adhéré : Jésus, Platon, Socrate, qui donna l'ultime exemple de son absence de crainte de la mort en absorbant stoïquement la ciguë pour ne pas renier ses principes.

Son démon, qui le prévenait invariablement de tout danger, ne lui avait servi aucun avertissement à la veille de sa mort, preuve indubitable pour lui que la mort était… sans danger ! Des peuples anciens aussi ont compris cette vérité et y ont adapté leurs coutumes. Prends par exemple les Trauses, ce peuple de l'Antiquité dont Hérodote parle dans son *Enquête* (p. 31) :

« Les Trauses ont en général les coutumes du reste de la Thrace, mais voici comment ils se comportent devant la naissance et la mort : la famille du nouveau-né se rassemble autour de lui et se lamente sur les maux qu'il devra subir puisqu'il est né, en rappelant

toutes les calamités qui frappent les malheureux mortels ; mais le mort est mis en terre au milieu des plaisanteries et de l'allégresse générale, puisque, disent-ils, il jouit désormais de la félicité la plus complète, à l'abri de tant de maux. »

C'est le monde à l'envers, non? Et dire qu'on croit avoir progressé avec les siècles et qu'on considère les peuples anciens comme arriérés en comparaison de nos civilisations modernes ! Si tu doutes encore, lis ou relis cette belle lettre adressée en 1787 à Alexandre Small par ce grand esprit qu'était Benjamin Franklin : « Puisque *nous vivrons éternellement dans un autre monde !* – cette phrase est soulignée en rouge par le Millionnaire et le point d'exclamation est de lui –, j'ai cette idée consolante que nous trouverons un fonds d'amusement inépuisable, en apprenant toujours quelque chose de nouveau dans l'éternité : car l'humaine ignorance excède infiniment la science humaine. »

Quelques années plus tôt, le 23 mai 1785, il avait écrit à George Whatley une lettre encore plus *spirituelle* : « Quand je considère que rien n'est anéanti, que même une goutte d'eau ne se perd pas, *je me dis que je ne peux croire à l'annihilation des âmes,* ni imaginer que Dieu laisse perdre chaque jour des millions d'âmes, toutes faites et qui existent, et qu'Il se donne constamment la peine d'en créer de nouvelles. Et comme j'existe en ce moment dans le monde, je crois que sous une forme ou sous une autre, j'existerai toujours, et malgré tous les inconvénients attachés à la vie humaine, je ne m'opposerai pas à une nouvelle édition de la mienne, en espérant toutefois que les erratas de la dernière pourront être corrigés. »

Je m'arrache à la lecture, épaté !

Une nouvelle édition de la vie humaine !

« *Brilliant !* » comme dirait Cathy, depuis Londres, lorsqu'elle est émerveillée par quelque trouvaille.

Comme l'expression est jolie et réconfortante, et comme elle parle à un romancier !

Et... une édition corrigée des erratas, n'est-ce pas ce que je devrais offrir à D., si je veux que notre vie à deux ait un avenir ?

MESSAGE D'UN PÈRE MORT À SON FILS VIVANT:

« Je serais plus heureux si tu me pardonnais ! »

Les enseignements du Millionnaire me rappellent une histoire que m'a racontée mon grand ami Germain M., qui m'initia au yoga dans ma jeunesse et qui est devenu un des iridologues les plus éminents de l'Amérique du Nord.

Il fit un jour la connaissance d'un médium dont le travail consistait à aider les gens à accepter le décès d'un être cher. Il ne la rencontrait pas nécessairement dans ce but-là, et pourtant elle l'avisa dès le début de la séance de ce qui suit: « Votre père est ici et aimerait vous parler. »

Évidemment, mon ami, intrigué, acquiesce, car son père est mort depuis vingt ans et bien entendu il lui manque encore. Elle l'informe alors de quelque chose qui le trouble infiniment: « Votre père me dit qu'il serait plus heureux si vous lui pardonniez. »

La voyante s'empresse de demander à mon ami si ce qu'elle vient de dire a un sens pour lui. Il ne répond pas tout de suite.

Parce qu'il sait que son père est là.

Il le sait parce qu'il en a toujours voulu à son père d'avoir divorcé alors qu'il n'était encore qu'un gamin de six ans…

Les larmes lui montent aux yeux.

Et il prononce enfin: « Je te pardonne, papa… »

Et alors, je pense que le Millionnaire a dit vrai. On ne meurt pas, on va simplement ailleurs.

Non seulement on ne meurt pas, mais on emporte avec soi ce qui fait notre être véritable, nos pensées, notre passé, nos regrets, et le poids de nos fautes, tout le mal qu'on a fait, mais le bien aussi…

Oui, alors je pense que la mort ne met pas fin à tout, qu'elle ne nous libère de rien, si ce n'est de notre corps, et que de cette vérité doit découler toute notre morale, toute notre conduite, car tout ce qu'on fait, on le fait jusqu'à la fin des temps. Le père de Germain M. est mort depuis vingt ans, mais vingt ans sont comme vingt minutes dans le miroir de l'éternité.

La voyante laisse mon ami se recueillir sur cette expérience, sur ces retrouvailles inattendues et belles puis elle lui dit : « Votre père me dit qu'il accomplit un travail spécial dans l'au-delà, un travail qu'il adore : il s'occupe des roses dans les jardins de la Vierge Marie… »

Et une nouvelle émotion gagne mon ami, car toute sa vie son père a eu une dévotion particulière pour la Sainte-Vierge, dont il gardait un portrait dans sa chambre, dans sa voiture…

Et moi je pense que nous ne savons rien, que la Vie est infiniment plus mystérieuse qu'on ne le pense, et que la loi de l'attraction connaît de surprenantes applications : il aimait la Sainte Vierge sur terre, et il la retrouve dans l'au-delà !

La voyante dit ensuite à Germain :

« Votre sœur (elle était morte depuis plus de dix ans) est là, si vous avez des questions à lui poser… »

Mon ami lui demande alors si elle va bientôt se réincarner. Sa réponse est étonnante, du moins si on ne connaît pas le quatrième pétale du *Secret de la rose* :

« Oublie ça, il n'en est pas question ! »

Et dire qu'on a peur de mourir et qu'on pleure nos morts, souvent pendant des années, pendant qu'eux vivent la Vraie Vie, s'amusent ! La sœur de Germain explique alors que pour elle ce serait une véritable punition de revenir sur terre et que pour obtenir la « faveur» de rester dans l'au-delà, elle a dû accepter de faire un travail spécial, mais qu'elle a préféré accepter ce fardeau, et que tout lui souriait davantage que l'idée de revenir ici-bas : « *Oublie ça, il n'en est pas question !* »

Puissance de l'amour maternel

De la main du Millionnaire.

« L'amour, entre autres l'amour maternel, survit à la mort. Et la protection qu'il procure n'est que l'un des mystérieux et infinis exemples de la loi de la manifestation. »

Suit une page (16) extraite du livre *Les Aides invisibles* de C.W. Leadbeater : « L'amour maternel, un des sentiments humains les plus saints et les moins égoïstes, est aussi un des plus persistants sur les plans supérieurs. Une mère qui se trouve dans les régions inférieures du plan astral et, par conséquent, encore à portée de la terre, continue à s'intéresser à ses enfants et à veiller sur eux tant qu'il est possible de les voir. Bien plus, ces petits êtres, même après son entrée dans le monde céleste, continuent à occuper la première place dans ses pensées. »

Là, j'ai une grosse émotion. Je pense à petite mère. C'est ainsi que j'appelle maman. Je sais bien que dans son cas ce sera vrai et archi-vrai, après son grand départ. Et si un jour elle écrivait un livre, ce ne serait pas comme celui de Marc-Aurèle *Pensées pour moi-même*, mais *Pensées pour mes enfants*.

Je poursuis ma lecture de la page du livre au titre si beau : *Les Aides invisibles*... celle dont j'ai précisément besoin en ce moment.

« L'immense amour qu'elle prodigue aux images qu'elle s'y forme de ses enfants constitue un *puissant dégagement de force spirituelle,* qui se répand sur ses enfants encore engagés dans les luttes du monde inférieur et les entoure de centres vivants d'énergie bienfaisante qu'on peut très bien se représenter comme de *véritables anges gardiens*. »

Cette page me rappelle tout à coup un courriel que m'a envoyé une lectrice bouleversée par la lecture de mon précédent ouvrage : *Le Plus vieux secret du monde.* Je dis « bouleversée » pas par vanité, mais par souci de rigueur intellectuelle, car c'est elle qui a employé ce mot. C'est ma mémoire ici qui est vaniteuse, me direz-vous, d'avoir retenu précisément ce mot emphatique : je vous l'accorde.

MESSAGE D'UNE MÈRE MORTE À SA FILLE VIVANTE

« Je suis contente que tu portes mes bagues ! »

Une lectrice, donc, me confie avoir rencontré une voyante, elle aussi spécialisée, comme la précédente, dans le contact avec les morts. Cette lectrice souhaitait parler avec sa mère, récemment décédée, et avec qui, me confie-t-elle, elle n'avait pas tout réglé. Au moment de cette rencontre, cette lectrice, qui avait deux sœurs, revenait d'un voyage en Chine au cours duquel elle avait porté les bagues de sa mère dont elle venait d'hériter. Et la première chose étonnante, ce me semble, que la voyante lui dit et qui parle pour sa mère, est la suivante : « Je suis contente que tu portes mes bagues… »

Je sais qu'il y a des voyants, ou plutôt des pseudo-voyants qui sont surtout de fins psychologues et des manipulateurs hors pair, qui font d'abord subtilement parler leur client avant de lui faire des révélations, et qui ensuite en dressent l'étonnant portrait en leur disant ce qu'il veut entendre, ou en tout cas ce que 99 % des gens veulent entendre : qu'ils ont des insatisfactions sentimentales (qui n'en a pas !), qu'ils vont bientôt faire un grand voyage (qui ne veut pas voyager !), et qu'ils recevront bientôt une forte somme d'argent inattendue, phantasme banal.

Mais dans le cas qui nous occupe, la voyante qui reçoit ma lectrice pour la première fois ne la connaît ni d'Ève ni d'Adam et n'a aucune manière de savoir que sa cliente porte les bagues de sa mère. Pas plus qu'elle ne peut deviner ce qui suit : « Votre mère se demande comment il se fait que vous ne soyez pas venue avec vos deux sœurs. » Et sa mère ajoute, à travers la voix de la voyante, cette précision touchante et véridique : « On formait un joli quatuor… »

Les larmes montent aux yeux de ma lectrice.

Un joli quatuor…

La voyante ajoute, parlant encore pour sa mère : « Je passe presque tout mon temps avec ton père, on joue au bridge, ont est allés en Égypte… »

Et alors, j'ai cette pensée réconfortante, exaltante : si la mère décédée de cette lectrice est allée en Égypte, peut-être que Henri-Paul est parti jouer au golf à Pebble Beach ou à Saint-Andrews ! C'était un de nos projets, d'y aller ensemble, mais pas urgent, parce que comme pour bien des choses dans la vie, on pensait qu'on avait tout notre temps, mais la mort pensait autrement.

Mais je reviens à cette lectrice.

Sa mère fit cette précision fascinante :

« Ici, la vie ressemble à la vie sur terre, ce n'est pas tellement différent. Mais il y a un phénomène qui diffère : pour faire une chose, *il suffit de penser qu'on veut la faire et on est immédiatement en train de la faire !* »

Ici, bien entendu, c'est moi qui souligne…

La loi de la manifestation agit ici comme dans l'au-delà, mais avec plus de célérité, comme par magie !

Le père de la cliente, qui était physicien dans la vie (disons par souci de cohérence : dans sa vie précédente !), se manifeste également au cours de la séance, et explique, admiratif : « Les ondes circulent bien ici, tout va vite ! »

Et je ne peux m'empêcher de penser à cette phrase du *Secret* : « Le Secret aime la vitesse ! »

Je pense aussi à un passage d'un livre que j'ai emporté par hasard (un autre !) en voyage, *La Vie dans l'au-delà* de Sylvia Browne, je le retrouve sans peine :

« Dans l'au-delà on vit "à l'endroit où on veut". C'est que là, les maisons sont le *reflet parfait des souhaits des résidents.* (C'est moi qui souligne). Si vous avez toujours voulu vivre dans un château de pierre, dans un manoir de style Tudor, ou un penthouse (…), ce rêve n'est qu'à une rapide dimension de vous… »

Sylvia Browne poursuit en expliquant que ce choix n'a rien à voir avec vos moyens financiers ou votre statut social, car il n'y a pas d'argent dans l'au-delà.

« L'explication de ce phénomène est que dans l'au-delà la plupart des maisons sont construites par *la projection de pensée*. Comprenez-moi bien: les maisons construites par la projection de pensée ne sont pas imaginaires. Notre compréhension de la puissance de la projection de pensée est encore au stade de l'enfance sur terre, mais si ça peut vous aider à vaincre votre scepticisme, rappelez-vous que tout ce qui a été construit par l'homme a d'abord été une pensée projetée. Dans l'au-delà, nous sommes simplement capables de sauter de la pensée à la réalité sans le travail et les difficultés... Nous projetons le genre de maison que nous voulons, où nous la souhaitons, et elle apparaît!"

Je ne peux m'empêcher de penser à un passage du premier pétale du *Secret de la rose*: « À l'homme aux vibrations élevées, tout est possible, et ce que les autres appellent par ignorance un miracle est pour lui une chose aussi réelle qu'une tasse de café ou un panier d'osier.»

Alors, pour obtenir comme par magie tout ce qu'on veut, mais avant de mourir, avant de passer dans l'au-delà, il faut élever ses vibrations, pour que les ondes circulent et qu'on puisse réaliser tous ses rêves par la simple projection de la pensée.

Ceux qui s'aiment se suivent

De la main du Millionnaire:

« La mort n'unit pas ceux qui ne s'aiment pas, non plus qu'elle ne sépare ceux qui s'aiment. »

Suit une page attribuable à la plume magique d'Hermès Trismégiste (p.210), et donc écrite 3000 ans avant notre ère!

« Les âmes ne retournent pas confusément et au hasard dans un seul et même lieu, mais chacune est envoyée à la place qui lui appartient.(...) Écoute cette comparaison, ô très cher Horos : suppose qu'on enferme dans une même prison des hommes, des aigles, des colombes, des cygnes, des éperviers, des hirondelles, des moineaux, des mouches, des serpents, des lions, des léopards, des loups, des chiens, des lièvres, des bœufs, des moutons (...) ; puis que tous soient mis en liberté au même instant. Tous s'échapperont à la fois : les hommes iront vers les maisons et les places publiques, l'aigle dans l'éther, où sa nature le porte à vivre, les colombes dans l'air voisin (...). Chaque animal retournera, conduit par son discernement intérieur, dans le séjour qui lui convient. C'est ainsi que chaque âme (...) sait où elle doit aller (...). »

Cette page me touche mystérieusement, peut-être en raison de la belle simplicité de sa métaphore, et je m'émerveille que des mots écrits il y a plus de cinq mille ans puissent encore trouver un écho en moi, m'interpeller...

Car je n'ai pu m'empêcher de me demander : moi échappé de ma « cage » (ne dit-on pas que le mariage est une prison !), irai-je dans le même séjour que D. ?

Nous sommes – nous en convenons tous les deux – si différents...

Je sais, les contraires s'attirent, mais pour l'éternité, la règle tient-elle toujours ?

Je tourne la page, arrive à la dernière page du manuscrit. Elle est fort brève, et écrite de la main du Millionnaire :

« Dans sa deuxième lettre, Platon écrit au tyran Denys : "Ce qui fait maintenant ma force, c'est que je vis d'après mes principes." Toi, vis selon les principes du *Secret de la rose,* ne t'en écarte jamais, car de là naît tout mal. Fais-en ta règle, ils seront ta force et ta certitude en notre époque tourmentée. Adieu, jeune ami. »

L'émotion me gagne bien sûr en raison de ce mot surprenant : « Adieu », comme si je ne reverrais jamais le Millionnaire. Et comme si ce pétale était le dernier. Or, le Millionnaire m'a bel et bien parlé de cinq pétales du *Secret de la rose*.

Sœur Raphaëlla, que je dois voir sous peu, a sans doute la clé de cette énigme.

— 12 —
Les surprises du destin

Elle était là, à l'heure, dans sa tunique noire, devant la porte du Bien et du Mal, aussi belle que le premier jour, peut-être encore plus, car il y avait une sérénité nouvelle dans son visage, dans toute sa personne.

Elle tenait dans sa main gauche une grande enveloppe, mais fort mince, comme si elle ne contenait qu'une page ou deux : c'était sans doute le cinquième pétale du *Secret de la rose*.

Sœur Raphaëlla m'a serré la main et m'a dit :

« J'ai apporté l'enveloppe mais elle est vide.

— Hein ?

— Le médium que je consulte si souvent m'a prévenue d'un grand danger. Et puis ce matin, mon chardonneret adoré s'est échappé de sa cage et mon chat l'a tué.

— Oh, je vois…

— Mais j'ai remisé la fin du manuscrit en lieu sûr dans un coffret dont voici la clé. »

Elle m'a alors tendu une clé, une clé qui ressemblait à une banale clé de coffret de sûreté. Mais...

« Si jamais il m'arrivait quelque chose, le père Gabrielli vous indiquera où trouver ce coffret.

Le père Gabrielli, elle le connaissait donc elle aussi, ce prêtre exorciste qui, avec le Millionnaire, assurait la protection de Pierre le Romain !

Est-ce parce que j'étais nerveux, mais j'ai alors laissé tomber la clé, puis je l'ai ramassée et l'ai mise dans ma poche. Puis, sans savoir pourquoi, j'ai pensé à ce qui était arrivé à César, cette statue de lui qui s'était renversée alors qu'il se rendait à la curie de Pompée, où il serait assassiné. Et j'ai aussi pensé à l'anecdote terrible rapportée par Cicéron dans *De la divination*, cette tante qui, dans un temple où elle va consulter un oracle, dit à sa nièce : « Je te cède la place... », et qui meurt quelque temps après...

Alors, tout s'est passé vite, très vite. Au moment précis où sœur Raphaëlla me tendait la grande enveloppe, même si elle était vide, ce qui était curieux, mais elle devait avoir une raison, il est arrivé quelqu'un que nous n'attendions ni l'un ni l'autre : l'homme au chapeau noir !

L'air menaçant, une main dans la poche droite de son imper, il a dit : « J'ai une arme, si vous résistez, vous êtes morts ! »

Il s'est avancé vers sœur Raphaëlla. Sans penser à ce que je faisais, j'ai fait un pas en sa direction pour le neutraliser, mais il était déjà trop tard, un coup de feu a retenti, et j'ai vu un trou dans l'imper de l'homme au chapeau noir. Il venait de tirer et c'est sœur Raphaëlla qui a été touchée. L'homme au chapeau noir lui a arraché l'enveloppe. Elle s'est effondrée. J'ai crié, stupidement, mais on n'est pas toujours très intelligent dans semblables situations: « Sœur Raphaëlla, qu'est-ce que vous avez ? »

Je le savais bien ce qu'elle avait !

Je me suis tout de suite agenouillé à ses côtés, pour lui porter secours. Il y avait du sang. Sur sa soutane, on ne le voyait pas, enfin pas très bien, parce que c'est noir, et le rouge et le noir, ça se confond, mais sur les pavés on le voyait et sur mes mains aussi.

Pendant que, dans ma panique, je me demandais ce que je devais faire, j'ai vu que l'homme au chapeau noir ouvrait l'enveloppe parce qu'elle était mince et que, sans doute, il se doutait de quelque chose. Quand il a vu qu'elle était vide, il était furieux. Il l'a jetée et a voulu prendre la fuite. Mais il y avait deux gendarmes qui avaient tout vu, qui lui ont couru après et ont réussi à lui mettre la main au collet puis les menottes aux poings.

En d'autres circonstances, ça m'aurait fait plaisir que le méchant soit attrapé, mais là, rien. La seule chose qui me faisait quelque chose, c'était que je ne pouvais plus rien pour sœur Raphaëlla, qui était probablement en train de mourir devant moi. Puis j'ai repris un peu de ce qui me restait de mes sens. Je me suis tourné vers les gens de plus en plus nombreux autour de moi, et j'ai crié :

« Une ambulance ! Appelez une ambulance... Est-ce qu'il y a un médecin... ? »

Mais non, il n'y avait pas de médecin, il y avait juste des curieux, des touristes ; il y en a même un qui s'est mis à prendre des photos, probablement parce qu'il se passait enfin quelque chose d'intéressant dans son voyage à la con.

Sœur Raphaëlla a protesté, pas pour les photos, mais pour me rassurer:

« Non, ce n'est pas la peine, ne vous en faites pas, je savais que je partirais... »

Alors, ses yeux se sont arrondis, elle a eu l'air étonnée et ravie, on aurait dit qu'elle voyait quelque chose, quelque chose qu'elle seule pouvait voir. Elle a dit, avec un sourire angélique:

« Paulo, tu es là, tu es venu avec notre enfant ! »

Et sur ces mots, elle a fermé ses beaux yeux et j'ai compris qu'elle ne les rouvrirait jamais plus.

Alors, j'ai entendu une voix, pas une voix qui venait de l'au-delà, mais juste à côté de moi.

« Elle n'aurait pas supporté de le voir mourir avant elle, elle l'aimait tant, elle l'aimait tant. »

Je me suis retourné et j'ai aperçu la dernière personne dont j'aurais pu soupçonner la présence en ce moment douloureux: le prêtre chauve qui m'avait quelques jours plus tôt poursuivi dans les rues de Rome !

Je me suis relevé, étonné, inquiet. Mais malgré l'intensité singulière de son regard, il n'avait pas l'air menaçant. Il avait même l'air amical. Je lui ai demandé:

« De voir mourir qui ?

— Le Millionnaire. Il est mort ce matin à onze heures.

— 13 —

Le cinquième pétale : Vis dans le cœur de la rose

« Hein, mais c'est impossible ! Il semblait parfaitement bien lorsque je l'ai vu l'autre jour. Il est mort de quoi ?

— Le cœur. »

Et il avait l'air effondré. Moi aussi.

Alors, j'ai agi en vrai zombie, parce que c'était trop, oui, trop de chagrin en trop peu de temps. J'ai pris un mouchoir et je me suis essuyé les mains parce qu'il y avait du sang dessus, ça faisait drôle. Puis j'ai ramassé par terre la grande enveloppe, et je l'ai glissée dans la poche intérieure de ma veste, contre mon cœur. Elle était peut-être vide, mais c'est à moi que la petite religieuse la destinait, après tout. Et puis ce serait le dernier souvenir que je garderais d'elle.

Puis j'ai attendu avec le père Gabrielli – c'est le nom du prêtre chauve, une autre surprise pour moi – que l'ambulance emporte le corps de sœur Raphaëlla.

Le père Gabrielli m'a raconté que s'il m'avait poursuivi dans les rues de Rome, c'est qu'il voulait simplement m'aider à mener à bien ma tâche. Puis il a dit :

« Est-ce que vous allez nous aider pour Pierre le Romain ? »

J'ai hésité, puis j'ai dit oui, mais je n'étais pas vraiment sûr que ce fût oui.

J'avais surtout envie que toute cette histoire finisse, et que je puisse rentrer tranquillement à Montréal. Après tout, comme j'ai dit, je n'étais pas Indiana Jones, mais un simple romancier qui tentait de gagner sa vie pour nourrir sa petite famille !

Comme s'il avait senti mon hésitation, comme s'il avait pressenti que je n'étais pas parfaitement sincère, le père Gabrielli m'a alors toisé de ses yeux profonds, et il a dit :

« C'est vraiment important, le Millionnaire y tenait. Avant de vous contacter pour vous faire venir à Rome, on en a parlé et il disait que vous étiez le seul romancier en qui il avait absolument confiance pour compléter le manuscrit inachevé. Et puis, vu votre notoriété, son message ne passera pas inaperçu. »

Touché ! Le Millionnaire, mon mentor, qui avait à mon endroit semblable confiance, qui me tenait en si haute estime ! Comment refuser la mission qu'il me confiait d'autant qu'il était mort maintenant ?

S'il me restait une hésitation, le père Gabrielli l'a levée lorsqu'il a ajouté :

« Il faut absolument que vous fassiez publier *Le Secret de la rose* le plus vite possible, pour couper l'herbe sous le pied de nos ennemis, et nous permettre d'attendre que Pierre le Romain soit en âge de régner : car il n'est qu'un enfant de douze ans !

Ça m'a bouleversé d'apprendre cela. J'imaginais naturellement Pierre le Romain avec une barbe, un air sérieux, une soutane blanche et un trône glorieux, et là j'apprenais qu'il était juste un enfant de douze ans, qu'il avait forcément le visage imberbe, encore des boucles dans les cheveux, des étoiles dans les yeux et jouait probablement avec ses amis, s'il en avait, aux billes, à la cachette (oui, ça c'était certain !), et aussi, soyons modernes, au Nintendo !

Et j'ai tout de suite pensé à Julia et je me suis dit que si j'étais parti, je veux dire vraiment parti, mort et enterré comme Henri-Paul, j'aimerais ça moi aussi qu'un romancier sacrifie sa petite sécurité pour sauver la vie de mon enfant, grande destinée ou pas. Oui, je me suis dit, Pierre le Romain, malgré sa future grandeur, il doit bien avoir un père, lui aussi. Un père qui doit se faire de la bile, qui même, ne doit pas pouvoir fermer l'œil de la nuit s'il sait les dangers qui guettent la tête bouclée de son enfant !

Alors, j'ai dit : « Vous pouvez compter sur moi. » Le père Gabrielli a eu l'air très content, il m'a serré la main. Il a souri.

Puis j'ai pensé à la clé que sœur Raphaëlla m'avait donnée juste avant de mourir. J'ai pensé à ce qu'elle m'avait dit, que c'est le père Gabrielli qui me dirait où trouver le coffret qu'elle ouvrait. Mais j'ai préféré ne pas lui parler de la clé. J'ai pensé une autre fois peut-être, là il se passe trop de choses à la fois.

« Vous êtes à Rome pour combien de temps ? m'a demandé le père Gabrielli.

— Je repars après-demain.»

Il m'a remis sa carte, sur laquelle son métier n'était cependant pas spécifié, comme sur une carte de visite ordinaire, et m'a dit: «Appelez-moi, nous irons nous recueillir ensemble sur la tombe du Millionnaire.»

Je suis rentré à mon hôtel. Je ne sais pas comment j'avais réussi à retenir mes larmes, mais en franchissant le seuil de ma chambre, je me suis mis à pleurer. On a beau croire à l'au-delà, et croire, comme le Millionnaire, que la mort n'est qu'un simple passage dans une autre dimension, quand même, on reste humain et deux morts comme ça, coup sur coup...

Bon, la petite religieuse, je ne la connaissais pour ainsi dire pas, mais elle était infiniment attachante, et si jolie...

Quant au Millionnaire...

C'était un véritable deuxième père pour moi.

Il m'avait tellement aidé, tellement donné.

J'avais peine à croire à son décès, comme j'étais toujours resté sceptique à la pensée que des êtres extraordinaires puissent un jour partir : et pourtant, même nos plus grandes idoles meurent...

Je me suis lavé les mains parce qu'il restait un peu de sang dessus. Et j'ai pensé que c'était du vrai sang et que c'était beaucoup plus impressionnant que tout celui que j'avais pu répandre dans mes romans.

J'ai appelé D. mais elle n'était pas là, et le répondeur n'était toujours pas branché.

Assis sur le bord de mon lit, j'ai pris le dodo de Julia et je l'ai passé comme un foulard. Au moins, je pouvais constamment respirer le parfum de D. et j'ai pensé que ma fille l'avait souvent eu contre sa joue.

Je me suis senti un peu moins seul.

Pendant trente-trois secondes.

Puis j'ai joué un instant avec la grande enveloppe que m'avait remise sœur Raphaëlla avant de mourir.

Alors, je ne sais pourquoi, même si je la savais vide et archi-vide comme ma vie en ce moment, j'ai regardé à l'intérieur.

Je me suis alors rendu compte qu'il y avait un dessin et des choses écrites sur ses parois intérieures !

Tout excité, j'ai défait délicatement l'enveloppe.

Quand j'ai vu que c'était de la main du Millionnaire, et que c'était probablement les dernières phrases qu'il avait écrites avant de mourir, j'ai éprouvé une émotion intense.

C'était écrit: Le cinquième pétale : *Vis dans le cœur de la rose.*

Il y avait une grande rose dessinée par le Millionnaire et sous elle, ce conseil, cet ordre : « Concentre-toi, et vis dans le cœur de la rose ! »

Puis quelques mots :

« Tu te dis, jeune ami : quand j'aurai une nouvelle maison, un nouveau travail, une nouvelle compagne, je serai heureux ! Quand j'aurai réglé tel problème, quand j'aurai fini cette tâche, quand j'aurai plus d'argent, je serai plus heureux ! Mais tout cela n'est qu'une illusion. Pourquoi ? Parce qu'à chaque moment de ta vie, TU AS AUTANT DE RAISONS D'ÊTRE HEUREUX QUE MALHEUREUX. Dans cinq ans, dans dix ans, tu n'auras peut-être plus de dettes, tu auras une plus grosse maison, mais tu auras peut-être mal à l'estomac et ton enfant sera malade ou aura quitté la maison.

« Quel est le secret, jeune ami ? Le meilleur moment pour commencer à philosopher, le meilleur moment pour commencer à être heureux, c'est maintenant, c'est tout de suite, et non pas demain, après d'hypothétiques acquisitions, autant de nuages. Apprends l'art simple mais rare de la concentration. Vis dans le présent. C'est la seule réalité, et le plus grand remède contre tous les maux, physiques et moraux. Lorsque tu marches, marche ! Lorsque tu manges, mange ! Lorsque tu es avec des amis, sois avec des amis.

« Ne pense pas à demain. Oublie hier. Il n'y a rien d'autre que le présent. Celui qui vit dans le présent absolu vit dans l'amour absolu. C'est le Secret des Secrets, qui contient à lui seul, qui permet à lui seul de comprendre tous les autres pétales du *Secret de la rose*, rien d'autre n'a d'importance. Allez, bonne chance, jeune ami. Fais de ta vie, de chaque jour, de chaque heure, de chaque seconde de ta vie un chef-d'œuvre :

c'est le véritable art de vivre. Vis dans le cœur de la rose. »

Je me suis remis à pleurer, c'était le dernier message du Millionnaire : désormais, il se tairait pour toujours.

Puis j'ai pensé, comme tout ceci est mystérieux ! Pourquoi le Millionnaire a-t-il cru bon d'écrire à l'intérieur de l'enveloppe ? N'était-ce pas une précaution plutôt qu'un caprice ? N'est-ce pas parce qu'il savait à l'avance ce que ferait sœur Raphaëlla, et dans sa bonté infinie, il avait quand même voulu que je sache l'essence de son dernier message ?

Je regardais le texte, encore admiratif, et je me suis alors rendu compte qu'il y avait d'autres choses écrites sur l'enveloppe, mais en plus petit, et en bordure du texte.

C'était écrit en caractères si petits, en fait, que je ne suis pas parvenu à déchiffrer quoi que ce soit. Frustré, et surtout infiniment curieux, j'ai pris l'enveloppe et je suis sorti en vitesse, pour acheter une loupe. Puis je me suis assis sur un banc dans un parc et j'ai pu voir ce qui était écrit.

« Léonard de Vinci. Prophétie. En nombre incalculable seront emportés leurs petits-enfants et leur gorge sera coupée, et ils seront massacrés de manière barbare. Pour Pierre le Romain, le saint suaire de Turin avant les mains du Malin. »

C'était tout. J'ai relu trois fois, mais je n'ai rien compris. Bon, Léonard de Vinci, je connaissais, comme tout le monde et je savais que ses fameux *Carnets* renfermaient quelques rares prophéties, mais je ne me souvenais pas qu'il ait jamais parlé d'un futur massacre des enfants. Mais le célèbre suaire de Turin, quel était son lien avec Pierre le Romain ?

Je savais, comme la plupart des gens, j'étais conscient que c'était une des plus précieuses reliques de la chrétienté, puisque c'était prétendument un reste du linceul dans lequel Jésus avait été enseveli et qui conservait mystérieusement l'effigie de son visage. Mais rien de plus. Alors, le message demeurait quelque peu du chinois pour moi. Il faudrait sans doute que j'utilise la clé de sœur Raphaëlla pour avoir… la clé de ce mystère nouveau !

Je suis rentré à l'hôtel. J'ai rangé l'enveloppe dans ma valise, avec le reste du manuscrit, entre deux pulls que, comme je fais souvent, j'avais apportés inutilement, car je n'avais porté ni l'un ni l'autre. Bien sûr, il me restait du temps, car je ne repartais que le surlendemain…

Le lendemain, j'ai appelé le père Gabrieli, et il m'a dit où le Millionnaire serait exposé. C'était dans une minuscule chapelle, *piazza della Rotonda* ! Je me suis dit c'est drôle, et c'est triste comme hasard, c'est là que le Millionnaire m'avait donné rendez-vous, juste devant le Panthéon.

Je suis arrivé avant le père Gabrielli, mais je l'ai attendu avant d'entrer dans la chapelle. Je me suis recueilli avec lui sur la tombe fermée du Millionnaire. Beaucoup de visiteurs y avaient déposé une rose. J'ai trouvé ça beau et j'ai regretté de ne pas en avoir apporté une moi-même. À la place, j'avais platement avec moi mon ordinateur et le manuscrit du *Secret de la rose*, pour des raisons de sécurité, comme on dit

Au bout de dix minutes devant la tombe, j'ai été

submergé par trop de souvenirs, je n'en pouvais plus, je me suis excusé auprès du père Gabrielli. Il m'a dit de ne pas hésiter à l'appeler si j'avais besoin de lui, j'ai dit oui et je suis parti. Quand je suis rentré à mon hôtel, je me suis rendu compte que j'avais été bien inspiré d'avoir pris le manuscrit, parce que ma chambre avait été fouillée: elle était sens dessus dessous. Sur le coup, je n'ai pas compris : l'homme au chapeau noir n'avait-il pas été arrêté devant mes propres yeux ? Je me suis fait la réflexion que le père Gabrielli avait raison, les ennemis de Pierre le Romain avaient de grands moyens, mon calvaire n'était pas terminé. J'étais si ébranlé par la mort du Millionnaire que je n'ai pas quitté l'hôtel, je n'ai même pas cherché à changer de chambre, j'ai juste demandé qu'on la range un peu: de toute manière, je repartais le lendemain à midi.

Pendant que la femme de chambre s'affairait, je suis allé acheter à la dernière minute des cadeaux pour D. et Julia, puis je me suis arrêté pour manger une escalope de veau et une salade dans un restaurant du quartier. Quand je dis manger, j'exagère, car je n'ai pu avaler que trois bouchées. Après, je n'en pouvais plus. Mais je n'ai pu m'empêcher de boire la bouteille de blanc dont je me proposais d'arroser mon dîner. Je suis rentré et comme j'avais trop bu et bu trop vite, avec un estomac pour ainsi dire vide, je me suis rapidement assoupi.

Alors j'ai fait un songe mystérieux.

Dans mon rêve, je me trouvais à Venise, place Saint-Marc.

Dans la lagune, il y avait une immense gondole qui s'avançait. Dans la gondole une tombe, qui ressemblait à s'y méprendre à celle du Millionnaire d'autant plus que, elle aussi, elle était fleurie de roses.

À un moment, contre toute attente, le couvercle de la tombe s'est soulevé, et j'ai eu la surprise de ma vie : le Millionnaire, distingué dans un costume blanc, s'est levé et m'a salué en riant.

Ce fut un si grand étonnement que je me suis réveillé.

Et aussitôt je me suis demandé : « *Pourquoi ai-je fait ce rêve ?* »

La réponse m'est venue tout de suite, comme une illumination : le Millionnaire n'est pas mort !

C'était une idée folle, insensée, je sais, mais il fallait que j'en aie le cœur net. Alors, je suis retourné à la petite chapelle *piazza della Rotonda*.

La porte était encore ouverte même s'il était passé vingt-deux heures.

Je me suis avancé en tremblant vers la tombe, je me suis agenouillé devant elle, j'ai feint de m'y recueillir, mais pour être tout à fait honnête, je vérifiais afin d'être sûr que personne ne pourrait me voir. Il n'y avait pas âme qui vive dans l'église. J'ai tiré de ma poche mon petit couteau suisse, et, Dieu sait comment, j'ai réussi à faire sauter les pentures. Puis, véritable profanateur de tombe, j'en ai soulevé le couvercle !

La tombe était vide !

Au lieu du corps du Millionnaire il n'y avait, un peu mystérieusement, et non sans ironie, qu'une simple rose et un os, comme, dit-on, dans la tombe du célèbre comte de Saint-Germain !

Ma surprise passée, comme je n'avais pas toute la soirée et qu'on pouvait me surprendre à n'importe quel moment, j'ai osé prendre la rose. J'ai laissé l'os et j'ai refermé la tombe. Puis je suis reparti le cœur empli d'une joie indicible !

— 14 —
Le retour

Dans l'avion, comme si le mauvais sort s'acharnait contre moi, je me suis retrouvé assis à côté de l'homme aux mots cachés qui, vous l'avez deviné, se passionnait pour une autre énigme compliquée ! On ne s'est pas vraiment parlé même si bien entendu on s'était reconnus. Il m'a juste demandé est-ce que vous avez fait un bon voyage ? J'ai dit non, parce que ça surprend et, en général, en tout cas avec des étrangers, ça met fin plus rapidement aux conversations. Il a dit « Ah ! » un peu surpris, et il s'est excusé pour cause de mots cachés. Il n'avait pas plus envie que moi de parler : nous étions quittes.

Mais avant que l'avion ne décolle, un homme d'une trentaine d'années, au costume impeccable et au sourire étincelant, a demandé à l'homme aux mots cachés s'il accepterait de lui céder sa place. Il a dit, impoliment, je trouve : « Avec grand plaisir », en insistant sur le mot « grand ».

« Monsieur Fisher ? » a demandé l'homme à qui mon compagnon venait de céder sa place.

« Euh oui… »

Je suis un peu surpris qu'il m'ait reconnu…

Bon, bien sûr, il y a ma photo sur mes livres, mais elle date tant et je me sens si peu la tête d'un romancier depuis quelque temps.

Il a tendu le doigt vers la rose, la rose du Millionnaire que je portais sur ma veste. Et il a expliqué.

« Je n'étais pas certain mais quand j'ai vu la rose, je me suis dit c'est lui, c'est sûr… »

Il a marqué une pause puis il m'a tendu la main et il a dit :

« Joseph Roncalli, éditeur.

— Enchanté. »

J'ai dit moi aussi, et il s'est assis à mes côtés mais en fait j'ai éprouvé un malaise, sans savoir vraiment pourquoi.

Il n'a pas perdu de temps, et il a dit :

« Écoutez, il n'y a pas de hasard, comme on dit, j'admire votre œuvre et je me disais que ce serait un honneur pour moi de vous compter parmi mes auteurs. Les Éditions de la Nuit est une jeune maison encore peu connue, mais nous avons des moyens considérables, j'ai hérité de mon père qui a fait fortune dans la construction, et je me demandais si vous travailliez sur quelque chose en ce moment ? »

Je lui ai parlé du *Secret de la rose*, que j'avais emporté en cabine, bien sûr, comme mon ordinateur et ma clé USB *Kingston*. Il a paru fasciné.

« Est-ce que vous avez un éditeur ?

— Euh oui, mais rien n'est signé. »

Il a alors tiré son carnet de chèques de la poche intérieure de son élégante veste, a utilisé la petite table devant chaque siège, pour y écrire le chèque qu'il m'a tendu.

Curieux, je l'ai regardé. Il y avait pour le justificatif : droits français pour *Le Secret de la Rose*, puis, ce qui était prévisible, mon nom, mais surtout, ce qui l'était moins, en tout cas de la main, en général parcimonieuse, d'un éditeur québécois : 100 000 $...

J'ai esquissé un sourire.

Petit clin d'œil du destin.

Le Millionnaire m'a si souvent répété : une porte se ferme, une autre s'ouvre.

Voilà de quoi oublier, du moins en partie, l'avortement du contrat faramineux annoncé par mon agente londonienne, il y a peu !

Pendant que je contemplais le chèque, l'éditeur a tiré de sa serviette un contrat qu'il a rempli prestement avec sa belle plume Mont Blanc.

J'ai alors vu la bague qu'il portait, une grosse bague en or avec une croix dessus. J'ai sourcillé. Je me suis dit : *« C'est vrai, les Italiens sont portés sur la religion, mais quand même, la jeune génération est moins dévote... »*

Puis je me suis rappelé que Roncalli, c'était le nom de naissance du pape Jean XXIII !

Et alors, je me suis rendu compte que cet homme élégant... je l'avais déjà vu ! D'où mon malaise initial. Oui, je l'avais déjà vu, de loin, à l'aéroport et j'avais été troublé parce que, pendant quelques secondes, j'avais cru qu'il était en compagnie de... l'homme au chapeau noir !

Alors, je me suis dit c'est un des ennemis de Pierre le Romain, le petit enfant futur pape, c'est certain. Et en plus, il est peut-être armé, prêt à tout pour faire main basse sur le manuscrit : il fallait que je joue intelligemment mes cartes.

J'ai esquissé un large sourire, et je lui ai tendu la main.

« Marché conclu ! »

Mais aussitôt, je lui ai remis le chèque. Il a eu un haussement de sourcils.

« Je ne comprends pas.

— Je ne peux rien signer sans faire lire le contrat à mon agente, mais vous pouvez dormir sur vos deux oreilles, c'est une affaire entendue. »

Il m'a remis le contrat que j'ai glissé dans ma poche.

Il m'a souri, et il y avait dans son sourire la satisfaction difficile à dissimuler de l'homme qui est persuadé d'avoir floué un idiot. J'ai souri comme un idiot. Je n'avais pas de mérite, j'avais eu, pendant les longues heures du vol vers Rome, un modèle parfait en la personne de mon voisin de cabine ! Le jeune éditeur a souri encore plus largement, et je suis sûr que j'ai lu exactement sa pensée. Il se disait : *« Et dire que les auteurs se pensent intelligents ! »*

À l'aéroport, il m'a demandé :

« On se voit quand pour signer ?

— Demain ?

— À 14 heures à mon bureau. »

Il m'a remis sa carte, m'a tendu sa main lourdement baguée, je l'ai serrée et on s'est séparés. Enfin…

J'éprouve toujours du plaisir à voir ma mère et j'essaie de la voir le plus souvent possible, mais je dois dire que, ce jour-là, j'étais heureux qu'elle ne soit pas là pour m'accueillir à l'aéroport.

Signe que D. n'avait pas songé à recourir à ses bons soins pour m'annoncer qu'elle avait commodément élu domicile en mon absence !

D., elle, était là, plus belle que jamais, avec Julia qui tenait dans sa main gauche le petit sac rose dans lequel elle transporte Binou.

En me voyant, il était si excité qu'il est parvenu à s'échapper de la petite ouverture (encore trop grande pour lui), qui lui sert de fenêtre sur le monde, et il s'est mis à courir à toute vitesse en ma direction, agitant fébrilement la queue.

Un garde de sécurité l'a aperçu, a couru après lui, l'a attrapé, mais quand Binou est nerveux, ou trop joyeux, il ne peut pas se retenir.

C'est ce qui est arrivé. Terrorisé, il a fait pipi dans les grosses mains velues qui avaient interrompu sa joyeuse course. Furieux, le garde l'a laissé tomber, a secoué ses mains, dégoûté. Et Binou a repris sa course en ma direction devant les yeux amusés de Julia qui riait comme une folle et disait :

« Maman, regarde, Binou a fait pipi dans les mains du monsieur ! »

Binou m'a rejoint. Qui n'a jamais vu Binou heureux n'a aucune idée de ce que peut vouloir dire l'expression sauter de joie. Il s'est mis à faire devant moi des sauts d'une hauteur proprement prodigieuse pour un chien de sa taille.

J'ai posé ma valise, j'ai pris Binou dans mes bras, il s'est mis à me couvrir de baisers : ce qui, dans le langage des chiens, veut dire lécher frénétiquement. Pour une fois, je me suis laissé faire.

D. et Julia se sont mises à courir en ma direction.

En arrivant devant moi, D., les larmes aux yeux, a dit: « J'ai essayé dix fois de te rejoindre, j'ai laissé cinquante-six messages, pourquoi n'as-tu pas appelé ?

— J'avais changé d'hôtel... Et tu avais oublié de mettre le répondeur.

— C'est Binou qui a rongé le fil», a expliqué Julia.

Pas étonnant, il ronge tout, ce qui donne raison à un de mes amis, qui en le voyant, a dit: « C'est un *overgrown rat*, un rat surdimensionné.» C'est faux, il ne ressemble pas à un rat, plutôt à un charmant petit renard, mais c'est vrai qu'il a de véritables manies de rongeur !

Alors, D. a dit:

« On n'est pas obligés de se marier, si tu ne veux pas.»

Et moi, exactement en même temps, dans une coïncidence amoureuse, je disais:

« On peut se marier si tu veux !»

On s'est mis à rire, mais on avait les larmes aux yeux.

Julia a vu que je portais son dodo, elle en a pris ombrage:

« Ah ! C'est toi qui avais mon dodo, ça fait cinq jours que je le cherche !»

Elle me l'a arraché des mains puis, plus pragmatique que sa mère, a demandé:

« Est-ce que tu as apporté des cadeaux ?

— Oui, oui... mais ne restons pas ici... Allons...»

Et nous sommes rentrés à la maison.

Postface

On me reproche constamment d'écrire trop, d'être toujours pressé de me faire publier. Mais là, vous en conviendrez, j'avais une très bonne raison d'être impatient. N'était-ce pas une question de vie ou de mort ?

Le lendemain, à neuf heures, j'étais dans le bureau de mon éditeur, pas Roncalli, mais mon vieil ami M.F. Je lui ai dit : « Il y a un éditeur qui m'offre 100 000 $ pour mon nouveau manuscrit. » Il a dit : « Je ne te crois pas. » Je lui ai montré le contrat. Il a tout de suite surenchéri de 25 000 $.

J'ai dit c'est d'accord : l'amitié est plus importante que les affaires !

Mais juste avant de signer, j'ai dit : « J'ai une dernière exigence, malgré ma modestie légendaire, je veux que tu annonces ce matin même, en grande pompe, la signature du contrat. » Il a dit : « Si ce n'est que ça, c'est d'accord ! »

J'ai signé, il m'a tendu la main, souriant.

Je lui ai serré la main mais je ne souriais pas.

Il a dit tu as l'air soucieux, est-ce que tu es content ? J'ai dit oui, mais je pensais à tout ce qui venait de m'arriver, je pensais à ce voyage étonnant à Rome, qui m'avait transformé.

Je pensais aussi au Millionnaire qui, Dieu sait pourquoi, avait fait semblant de mourir, à sœur Raphaëlla qui, elle, était morte pour de vrai...

Je pensais au père Gabrielli, son ami, qui avait tant insisté pour que je l'aide...

Et bien sûr, je pensais à Pierre le Romain, cet enfant de douze ans qui, un jour peut-être, deviendrait pape, si tous ceux qui avaient pour mission de le protéger jouaient bien leurs cartes.

Et j'étais apparemment de ceux-là, d'où la ride sur mon front.

Contactez Marc Fisher

Si vous avez des histoires à partager avec moi
et mes autres lecteurs,
n'hésitez pas à me les communiquer à :
fisher_globe@hotmail.com

Pour entrer en contact avec Marc Fisher,
auteur et conférencier :
fisher_globe@hotmail.com

Marc Fisher

Marc Fisher est né à Montréal, le 13 mars 1953, et a été élevé dans une famille de quatre enfants où il développa fort jeune le goût de l'étude et de la lecture. Son père en effet le payait dix cents de l'heure pour lire : ce qui lui inspira précocement le projet insensé d'être payé pour... écrire, ce qu'on appelle vivre de sa plume !

Premier de classe dans son enfance (par orgueil, plus que par talent, pour ne pas décevoir un père fort exigeant, admet-il volontiers), il devient mauvais élève à l'université où il étudie la philosophie et la littérature. C'est que le démon du roman s'est emparé définitivement de lui, ce qui lui permet de faire publier son premier roman à vingt-cinq ans.

Longtemps boudé par la critique, il connaît des débuts difficiles, mais ne se décourage pas. Au bout de dix ans, il atteint enfin le succès grâce à son ouvrage *Le Millionnaire,* conte philosophique qui, à ce jour, a été traduit en 25 langues et s'est vendu à plus de deux millions d'exemplaires. Sans conteste l'auteur québécois le plus lu à l'étranger, il se consacre à l'écriture depuis 1995, alternant romans et essais philosophiques.

Amateur de golf, de yoga, de voyages et de méditation, Marc Fisher est également conférencier.

- *Le Millionnaire,* conte philosophique, Québec-Amérique, 1987.
- *Le Psychiatre,* suspense, Québec-Amérique, 1995.
- *Le Golfeur et le Millionnaire,* roman, Québec-Amérique, 1996.

- *Le Livre de ma femme*, roman, Québec-Amérique, 1997.
- *Les Hommes du zoo*, roman, Québec-Amérique, 1998.
- *Le Cadeau du Millionnaire*, conte philosophique, Québec-Amérique, 1998.
- *L'homme qui ne pouvait vivre sans sa fille*, roman, Libre Expression, 1999.
- *Les Six degrés du désir*, roman, Lanctôt, 2000.
- *Le Bonheur et autres mystères*, essai, Un monde différent, 2000.
- *L'Ouverture du cœur* (réédition), Un monde différent, 2000.
- *Ma mère et moi : éloge de l'amour maternel*, Flammarion Québec, 2000.
- *Conseils à un jeune romancier*, roman, Québec-Amérique, 2000.
- *La vie est un rêve*, roman autobiographique, Un monde différent, 2001.
- *L'Ascension de l'âme*, Un monde différent, 2001.
- *Le Métier de romancier*, Trait d'Union, 2001.
- *Miami*, suspense, Québec-Amérique, 2001.
- *Le Testament du Millionnaire*, Un monde différent, 2002.
- *Le Vendeur et le Millionnaire*, Québec-Amérique, 2003.
- *Mort subite*, suspense, Les Intouchables, 2004.
- *Le Millionnaire*, tome 2, Québec-Amérique, 2004.
- *Le Monastère des Millionnaires*, Québec-Amérique, 2005.
- *Les Principes spirituels de la richesse*, Un monde différent, 2005.
- *Le Millionnaire paresseux*, Un monde différent, 2006.
- *Le plus vieux secret du monde*, Un monde différent, 2007.
- *Le Secret de la rose*, Un monde différent, 2008.

Liste des principaux auteurs et ouvrages cités

Browne, Sylvia. *La Vie dans l'au-delà*, Éditions ADA, Québec.

Cicéron. *De la divination*, GF Flammarion, Paris.

De Lagrave, Jean-Paul. *La vision cosmique de Benjamin Franklin*, Les Cahiers du Septentrion, Sillery.

Haanel, Charles F. *La Clé de la maîtrise*, Le Dauphin Blanc, Québec.

Hérodote. *L'Enquête, livres I à IV*, Folio, Paris.

Kardec, Allan. *L'Évangile selon le spiritisme*, La Diffusion scientifique, Paris.

Kardec, Allan. *Le Livre des Esprits*, Éditions Dervy, Paris.

Leadbeater, C.W. *Les Aides invisibles*, Éditions Adyar, Paris.

Lewis, H. Spencer. *Principes rosicruciens pour le foyer et les affaires, Éditions rosicruciennes*, Villeneuve-Saint-Georges.

Pauwels, Louis., Bergier, Jacques. *Le Matin des magiciens*, Livre de poche, Paris.

Platon. *Lettres*, Société d'édition « Les belles lettres », Paris.

Scovel Shinn, Florence. *Le Jeu de la vie et comment le jouer*, Astra, Paris.

Spalding, Baird T. *Ultimes paroles*, Robert Laffont, Paris.

Trismégiste, Hermès. *Hermès Trismégiste*, Guy Trédaniel, éditeur, Paris.

Si vous souhaitez consulter le catalogue
de nos parutions :

www.unmondedifferent.com

Si vous désirez obtenir le catalogue de nos
parutions, faites-en la demande par courriel à :

info@umd.ca

Ou il vous suffit de nous écrire
à l'adresse suivante :

Les éditions Un monde différent ltée
C.P. 51546
Succursale Galeries Taschereau
Greenfield Park (Québec), Canada J4V 3N8
ou de composer le 450 656-2660
ou le téléc. 450 659-9328

Quel est le secret, jeune ami ?
Le meilleur moment pour
commencer à philosopher,
le meilleur moment pour commencer
à être heureux,
c'est maintenant, c'est tout de suite,
et non pas demain, après d'hypothétiques
acquisitions, autant de nuages.

Apprends l'art simple mais rare
de la concentration.
Vis dans le présent.
C'est la seule réalité,
et le plus grand remède
contre tous les maux, physiques et moraux.

Lorsque tu marches, marche !
Lorsque tu manges, mange !
Lorsque tu es avec des amis,
sois avec des amis.

Ne pense pas à demain.
Oublie hier.
Il n'y a rien d'autre que le présent.
Celui qui vit dans le présent absolu
vit dans l'amour absolu.

C'est le Secret des Secrets,
qui contient à lui seul,
qui permet à lui seul
de comprendre tous les autres pétales
du Secret de la rose*,*
rien d'autre n'a d'importance.